D0653382

afgeschreven

Wachten op de schemering

Van Chaja Polak verschenen eerder:

Zomaar een vrijdagmiddag (verhalen, 1989)

De tijd van het zwijgen (verhalen, 1990)

De krijtcirkel (roman, 1992)

Stenen halzen (roman, 1994)

Tweede vader (roman, 1996)

Zomersonate (novelle, 1997)

Verloren vrouw (roman, 1999)

Over de grens (roman, 2001)

Liefdesmeer (verhalen, 2003)

Salka (roman, 2004)

Verslag van een onaanvaarde dood (poëzie, 2007)

Chaja Polak

Wachten op de schemering

Bibliotheek Slotermeer
Plein '40 - '45 nr. 1
1064 SW Amsterdam
Tel.: 020 - 613.10.67

2007
Uitgeverij Contact
Amsterdam/Antwerpen

© 2007 Chaja Polak

Omslagontwerp en typografie Suzan Beijer

Foto omslag Hollandse Hoogte

Foto auteur Ronald Hoeben

ISBN 978 90 254 2567 8

D/2007/0108/947

NUR 301

www.uitgeverijcontact.nl

Opgedragen aan

Rens, Anne-Sara, Jikke en Chaja

I

HERFST

Wat me bevreemdde was dat het niet eerder gebeurde, niet onmiddellijk daarna, maar langzaam als op kousenvoeten kwam aangeslopen – maanden later –, een nauwelijks hoorbaar sluipen dat ik niet herkende hoewel het op een gegeven ogenblik heel dichtbij moet zijn geweest.

Ik merkte het pas toen ik ermee begon, of iets later, een paar dagen later, en ik mezelf erop betrapte dat ik langdurig naar buiten staarde. Ik hield me vast aan de tafelrand in mijn kamer en liet die niet eerder los dan wanneer de schemering grijzige draden door de lucht begon te weven en de dag zich opmaakte de nacht tegemoet te gaan – pas dan trok ik mijn hand terug van de tafelrand, alsof ik eerder niet op eigen kracht overeind had kunnen blijven.

Zo begon ik te wachten op het terugtreden van het daglicht, op de eerste tekenen van wisseling van dag en nacht waarin de schemering ruimte kreeg de huid binnen te dringen van de huizen aan de overkant, en in de vierkante ramen, en in de daken. En de beukenboom tegenover mijn raam omhuld leek met stofdeeltjes die als muggenwolken dansten in de lucht.

Toen pas verliet ik mijn kamer.

Bij de kapstok in de hal trok ik mijn jas aan, nam mijn tas, liep de drie steile trappen af naar beneden en ik zag hoe de verf van de muren begon te bladderen, en ook dat de lichtgroene treden van de trap, daar waar ik mijn voeten zette, tot op het hout waren afgesleten. Ik nam het waar alsof het me niet aanging, liep de voordeur uit en sloot die af.

Dat was deze herfst. Deze herfst begon ik te wachten op de schemering – het juiste moment, het enig mogelijke om de bescherming van mijn huis achter me te laten en de straat op te gaan.

Zoals een jager, geweer in de aanslag, naar zijn prooi speurt tussen de boomstammen, zo speurde ik door het raam naar buiten, opeens werd het me duidelijk en ik denk niet eens dat ik ervan schrok, het was eerder een vaststellen. Ik verzette me niet, het luchtte me zelfs op en al gauw vervulde het me met dankbaarheid alsof ik iets achterliet, iets van me afschudde wat aan me had geknaagd. En ik wist dat het het daglicht was geweest.

De schemering was zachter, vriendelijker – de tijdspanne tussen het einde van de dag en het vallen van de nacht was voor mij als balsem. Alleen die tijdspanne.

De nacht bracht de dromen van de werkelijkheid.

Dood is sterker dan leven, hij staat op steviger benen, dat wist ik inmiddels al wel. Maar waarom worden we dan niet oud geboren om van daaruit in alle rust terug te keren naar waar we uiteenvallen in een ei en een zaadcel en vandaar pijnloos terug te treden in bestaansloosheid? Waarom reiken we onze kennis gratis aan de dood, die er zijn voordeel mee doet en ons onwetend en stom het leven laat leiden dat we leiden?

❦

Na een liefde, lang geleden, schreef ik een gedicht. Nu zou ik daar geen regel meer van kunnen opzeggen maar het beeld dat ik indertijd met woorden probeerde te vangen, herinner ik me duidelijk. Ik schreef de dichtregels voor de man die mij wanhopig maakte, ik schreef ze – zo begreep ik later – om hem terug te krijgen. Wat mislukte. Ik dreigde erin op reis te gaan na het afscheid – dat was de strekking van het vers –, ik zou mijn lippen zwart verven en op reis gaan. Een gênante vertoning, vooral omdat ik niet twijfelde aan de zuiverheid van mijn woorden. Ik was heilig overtuigd van het drama waarin ik terecht was gekomen en ervoer de wereld als een gevangenis. Waar ik ook ging, hoe ik ook zocht, steeds waren er tralies tussen mijn minnaar en mij.

Van verdriet wist ik nog niets, al dacht ik daar toen heel anders over.

In de tijd waarin ik dat schreef, was ik jong. En mooi. Zelfs met zwart geschilderde lippen. Ik heb het uitgeprobeerd, ik heb mijn lippen zwart geverfd. Uit een tube olieverf kneep ik een klein beetje zwart op de top van mijn wijsvinger en dat smeerde ik voor de spiegel in de badkamer over mijn lippen. Ik had de deur afgesloten om te voorkomen dat mijn zoontje binnen zou komen en zou schrikken. In de spiegel heb ik gezien dat ik mooi was, zelfs met zwarte lippen – zo ernstig zal mijn verdriet wel niet zijn geweest.

Wat ik had verzonnen om op reis te gaan en mijn kleine zoon achter te laten? Ik moet van alles hebben bedacht, en mijn reis zou trouwens niet langer hebben geduurd dan een paar dagen. Voor een paar dagen kon ik wel een alibi bedenken dat mijn echtgenoot zonder wantrouwen had aanvaard en mijn minnaar zou straffen met bezorgdheid.

Maar zover is het nooit gekomen.

Nu ben ik oud. Het leven heeft zijn wegen in mijn gezicht gekerfd. Ik hoef geen verf op mijn lippen te smeren ten teken van rouw. Je ziet die zo wel.

Vaak denk ik dat het mijn schuld is. Om gedachten die ik toeliet in mijn hoofd, en om wat ik heb gedaan en nagelaten, alsof ik 'had kunnen voorkomen', alsof ik die macht bezat. Ik weet dat ik mezelf ermee martel. Soms lukt het me met mijn verstand die waanzin uit te schakelen, even geeft dat verlichting, dan begint hij weer. Omdat je – zo spreekt een stem in me – omdat jij uitgerekend die twee ansichtkaarten hebt uitgezocht en in elk huis waar je woonde weer boven je bureau hebt gehangen. Alsof – weerspreek ik de stem – alsof fascinatie voor deze taferelen een fatale invloed zou kunnen hebben op de loop van een leven.

Maar de stem laat zich niet tot zwijgen brengen.

De eerste ansichtkaart waar de stem op doelt, is een reproductie van een schilderij van Sir Luke Fildes, een schilderij ergens in een Londens museum waar ik zo door getroffen werd dat ik steeds terugkeerde naar de zaal waar het hing om er weer naar te kijken, en weer en weer, om elk detail in mijn geheugen te griffen en het zo met me mee te kunnen nemen naar huis. Ten slotte heb ik de ansichtkaart met een reproductie van het schilderij maar gekocht.

Je ziet een in goudbruine duisternis gehulde kamer waarvan de inrichting terugvoert naar het einde van de negentiende eeuw. Links op de voorgrond staat een ronde tafel, over de tafel ligt een kleed, daarop gloeit een olielamp. De olielamp legt haar licht haast teder neer op het kleed. Naast de lamp, in het licht, staat een beker met een lepel erin die op de een of andere manier de indruk wekt daar al uren en uren te staan en waarvan de inhoud – koffie of thee, misschien bouillon – inmiddels koud is geworden. Daarnaast een flesje, gevuld met een geelachtige vloeistof. Zelfs zonder dat je het etiket kunt lezen is het duidelijk dat het hier om een medicijn gaat.

De tafelpoot is in diepe schaduw gehuld, evenals de kamer in diepe schaduw is gehuld. Het moet nacht zijn. De bewoners zijn arm want het kind ligt niet in een bed maar op twee stoelen naast elkaar waarop kussens zijn neergelegd. Het kind ligt op zijn rug, het heeft de deken van zich afgeduwd, het slaapt niet hoewel het de ogen gesloten houdt. Waarschijnlijk heeft het hoge koorts en vecht het kleine lichaam tegen een fatale koortsaanval.

Naast het bed van stoelen zit een man, die zich naar het kind overbuigt. Zijn kin steunt in zijn hand. De olielamp verlicht behalve het tafelkleed, het medicijn en de beker, ook het kinderhoofdje op het kussen en het profiel van de man naast het 'bed'. De man moet arts zijn, hij draagt een voornaam baardje, hij is nog jong en gaat gekleed in een donkerbruin kostuum. Bezorgd en ernstig volgt hij het beloop van de koortsaanval van het kind.

Pas na lang turen ontdek je in de verste hoek van de

kamer een figuur waarin je met zekerheid de vader van het kind herkent. Met gespreide armen is hij achteruitgedeinsd tot hij niet verder kon. In doodsangst drukt hij zich tegen de muur.

De tweede ansichtkaart kocht ik een paar jaar later – waar weet ik niet meer. Het schilderij dat is afgebeeld, behelst eenzelfde thema. Mijn fascinatie daarvoor, vrees ik, is ons noodlottig geworden. Of was het angst? Angst tot uitdrukking gebracht in fascinatie. Angst die zijn klauwen uitsteekt naar het leven, het voor zich uit drijft de hoek in waar het met de rug tegen de muur, hopeloos is overgeleverd aan zijn vraatzucht.

Soms denk ik dat uiteindelijk angst het leven bepaalt.

Op die kaart is een schilderij van Edvard Munch afgebeeld. Het is sneller geschilderd, met lossere penseelstreken en een drogere kwast. De kleuren zijn krijtachtig, de schilder moet spaarzaam zijn geweest met lijnolie. Door de verf heen schemert het linnen doek. De details op het schilderij zijn minder uitgewerkt, ze worden eerder gesuggereerd.

Net als op het doek van Sir Luke Fildes is hier een ziek kind afgebeeld. Maar nu is er sprake van een echt bed, hoewel de inrichting, voor zover te zien, eveneens armoedig is. De indruk van armoede wordt vooral gewekt door de vrouwenfiguur naast het bed – met het hoofd diep gebogen klampt deze vrouw zich vast aan een armpje van het zieke kind.

Duidelijk waarneembaar is de eenvoud van haar kleding, ze draagt een schort, en het haar, lang en grauw, is achterovergekamd en in haar nek bijeengebonden in een knot. Over haar schedel loopt een rechte scheiding.

In het bed, wit als de kussens, wit als het laken of eerder transparant, ja, feeëriek bijna, zit rechtop een meisje met loshangend dun rossig haar. Ze zit heel stil en kijkt naar de vrouw die haar moeder moet zijn, de kinderhand ligt machteloos neer op het laken. In haar gezicht is de dood al binnengeslopen – het meisje weet wat komen gaat. Misschien heeft ze zich al verzoend, of is ze te zwak om zich te verzetten en niet meer in staat tot troost.

Ik heb de kaarten boven mijn bureau van de muur getrokken, ik heb ze tot snippers verscheurd en die snippers heb ik één voor één verbrand in een asbak. Maar het was al te laat.

Het was zomer toen, de balkondeuren stonden wijd open, gesprekken van buren fladderden door de binnentuinen. Ergens speelde een radio reggaemuziek – een mannenstem zong er tergend langzaam achteraan. Binnen had de pedicure haar stalen koffertje op mijn tafel neergezet. Ze klikte de sloten open – in het geopende deksel lagen, als vorken en lepels in een keukenlade, haar instrumenten gehoorzaam in een rij te wachten op haar vingers. De pedicure haalde een flesje tevoorschijn, schroefde de dop eraf en druppelde geconcentreerd wat vloeistof op een van de instrumenten.

De telefoon ging, ik kwam overeind van de stoel waarop ik naar de handen van de pedicure had zitten kijken en liep naar het bureau. Ik nam op.

Het was mijn zoon.

Of ik zat, vroeg hij, of ik op een stoel zat. Het leek voor hem van het allergrootste belang dat ik zat, hem zittend aanhoorde. Met mijn vrije hand trok ik de pianokruk naar me toe. Ja, zei ik, ik zit. Ik hoorde hem ademhalen en ik denk dat ook hij mij hoorde ademhalen.

Al dagen wachtte ik op dit gesprek; de uitslag van het

tribunaal, vrijheid of doodstraf.

Achter me legde de pedicure haar instrumenten klaar op tafel en schoof een stoel aan. Ze ging zitten.

Mijn zoon begon te praten, zijn stem klonk als altijd rustig en beheerst. Ze hebben het me verteld, zei hij, nu zal ik het jou vertellen.

Ik wist niet of hij thuis was, of dat hij mij belde uit het ziekenhuis; op de een of andere manier moest en zou ik dat weten, ik kon niet wachten, het werd een obsessie en ik vroeg het hem. Ja ja, zei hij, hij was al thuis, maar de volgende dag zou hij worden opgenomen en zou de behandeling worden gestart, en in één moeite door noemde hij de naam van de ziekte waaraan hij leed. Hij zei ook nog: nou, we hebben niets te lachen. Alsof het om iets kleins ging, iets onbelangrijks dat eenvoudig kon worden opgelost en alleen veel ongemak veroorzaakte.

In de diepste lagen van zijn stem trilde het, in de meest verborgen snaren van zijn stem, en ik fluisterde in de hoorn dat ik van hem hield en hij zei dat hij ook van mij hield en ik ben opgestaan en teruggelopen naar de pedicure. Ik ben aan tafel gaan zitten, staan kon ik niet meer, ik legde mijn onderarmen als steunen op het tafelblad en keek op naar de pedicure – zij had alleen nog een gezicht, of eigenlijk alleen nog ogen en een neus maar zonder contouren, en ik zag dat haar hele lichaam was opgelost in ontzetting. Tegen haar gezicht zei ik: nou, je hebt wel een mooi ogenblik uitgekozen om hier te komen. Jij boft maar.

Er knakte iets, mijn hoofd viel neer op mijn armen.

Ik geloof dat de pedicure vrijwel onmiddellijk haar

spullen inpakte, de koffer dichtklikte en op haar tenen het huis uitliep om mij alleen te laten. En misschien heeft Paula, het meisje dat mijn zolderkamer huurt, de deur achter haar afgesloten.

Die beweging – het neerkomen van mijn hoofd op het tafelblad, op mijn onderarmen, een beweging die niet langer kan hebben geduurd dan een fractie van een seconde, want mijn hoofd viel neer – herbeleef ik in wakende dromen. Steeds weer valt mijn hoofd op mijn armen en trekt in die val mijn bovenlichaam mee zodat ik half over het tafelblad hang. En dan begint het opnieuw. Ik start in de ene wereld – daarin kijk ik nog op naar waar het gezicht moet zijn van de pedicure – en eindig in de andere. Die beweging luidde de overgang in van het bekende naar het onbekende, naar een leven dat ik niet wilde. Met die beweging sloot ik een tijd van vanzelfsprekendheid af, vanzelfsprekendheid dat kinderen langer leven dan hun ouders, dat ouders niet aan het graf van hun kind hoeven staan.

Later die dag heb ik Nily gebeld. Ze zei: je moet naar hem toe, bestel een ticket, neem het vliegtuig. Omdat ik niet reageerde, herhaalde ze wat ze had gezegd. Haar hese, doorrookte stem klonk dwingend. Ga, zei ze.

Ik deed wat ze zei, ik ben gegaan.

Tijdens het telefoongesprek met Nily heb ik geschreeuwd. Dat het niet kon, niet kon omdat hij uit mij geboren was.

Ze hoorde mijn schreeuwen niet – het schreeuwde in mij. Een schreeuwen vrijwel zonder geluid, een schreeuwen dat een uitweg zocht, naar buiten brak en zich om me heen stulpte, me beknelde en mijn stem niet meer volume toestond dan een zuchten.

Dat het niet kon omdat hij uit mij geboren was. Alsof het ene verbonden zou zijn met het andere. Maar die verbinding bleek, ongeacht de hoeveelheid jaren die er lagen tussen zijn geboorte en zijn naderende dood – en later tussen zijn geboorte en zijn dood – genadeloos aanwezig.

Ik ben me erover blijven verbazen, over wat ik er allemaal heb uitgeschreeuwd en wat nog altijd resoneert in mijn lijf, ik was er even ontsteld door als Nily, die me aanhoorde aan de andere kant van de lijn. Mijn eigen woorden kon ik niet verklaren – ik had ze nooit eerder gehoord, ik had ze nooit eerder gedacht, maar het was zo, daar kon ik niet omheen, al begreep ik het niet, en ik bleef zien hoe dood en geboorte hun armen tot aan hun ellebogen uit het moeras van het leven omhoogstaken om elkaar stevig de hand te drukken en hun verbond opnieuw te bezegelen.

Maanden later, op een avond, zag ik op het journaal beelden van een begrafenis. De dode was een Israëlische soldaat van nog geen negentien jaar oud, gesneuveld in een volkomen zinloze oorlog. Om het versgedolven graf stonden mensen in een kring. Eén vrouw stond niet, maar lag op haar knieën op de grond. Ze strekte haar armen uit naar het graf waarin, zo begreep ik, haar dode kind was neergelaten. Ze sprak aanhoudend en monotoon – een langgerekte klacht. De ondertiteling in wit voorbijschuivende zinnen vertaalde haar weeklagen, en terwijl ik geobsedeerd naar de geknielde vrouw bleef kijken las ik: ik heb je gebaard, ik heb je met zo veel vreugde gebaard, met zo veel vreugde heb ik je gebaard... De geknielde vrouw bleef die ene zin herhalen en ik boog me voorover in mijn stoel om te zien wat ik hoorde, om te kunnen geloven wat ik las én hoorde. De beelden van de begrafenis waren al weggesneden en opgevolgd door andere items, en weer andere, maar ik bleef de vrouw zien op haar knieën in de aarde, ik bleef haar woorden horen.

De verbinding tussen de dood van haar kind en zijn geboorte, begreep ik uiteindelijk, dat was zij.

De verbinding tussen de geboorte van mijn kind en zijn dood, dat was ik.

Sommigen zeggen wel eens: ik zou niet in je schoenen willen staan. Een opmerking die vriendelijk is bedoeld, bedoeld om aan te geven dat mijn leed wordt gewogen en te zwaar bevonden – dat weet ik ook wel, maar ík wil niet ruilen, ik wil in niemand z'n schoenen staan, alleen in de mijne. Echter, toen ons het laatste restje hoop werd afgenomen, het vlammetje uitgeblazen door de medische staf, en spijt betuigd – we staan machteloos, ons mandje medicatie is leeg, leeg tot op de bodem, onze specialistenogen hebben elke naad afgezocht en afgesnuffeld, maar we hebben niets meer kunnen vinden, nogmaals, het gaat ons aan het hart – na die boodschap had ik in die schoenen van mij de wereld uit willen wandelen, naar een heel andere wereld, een wereld waarin mijn zoon niet doodgaat maar lang en gelukkig leeft.

Boven zijn hoofd hing een bol. Door een slang druppelde gif zijn arm in en vandaar zwierf het door zijn lichaam. Hij zei: wellicht gaan m'n nieren eraan, en hij zei: ik kan doof worden. Hij vertelde dat ze met hem hadden willen overleggen over de toevoer van het gif – hij was immers geen kind meer, hij was een volwassen man. Ze vroegen hem of ze de toevoer wat zouden temperen. Maar hij gaat hier liever doof vandaan dan dood, heeft hij hun geantwoord. Laat dat gif maar stromen.

Mijn nieren mocht hij hebben als dat nodig was. Hij mocht niet alleen mijn nieren hebben, alles mocht hij van me hebben. Waarom toch kon ik zijn ziekte niet overnemen en met hem van plaats wisselen? Ik zou hem overeind helpen, hij zou zijn benen voorzichtig over de rand van het bed schuiven – verzwakt en mager bungelend over de rand – en we zouden elkaar aankijken met een sprakeloze blik. Terwijl ik hem ondersteunde zou hij eerst nog onwennig op zijn benen gaan staan, en ik zie het ongeloof in zijn ogen oplichten, ongeloof eerst, dan beide, ongeloof en blijdschap. Ik ga in zijn bed liggen en als vanzelf hebben de slangen met medicatie zich uit hem losgetrokken, zonder een spoor na te laten – geen bloed, geen litteken, niets – en zijn feilloos op mijn lichaam aangesloten, mijn lichaam, dat nu de witte molton ziekenhuispyjama draagt. Ik lig in zijn bed, dat mijn bed is geworden, met in mijn lichaam zijn ziekte, die de mijne is geworden, en ik spoor hem aan: ga maar, ga maar gauw naar ze toe. Hij heeft zich al aangekleed, zijn donkerblonde krullen zijn nooit weg geweest, hij draagt een colbert van grof lichtbruin ribfluweel en een spijkerbroek. Een tomaatrode wollen shawl heeft hij nonchalant om zijn nek geslagen. Jong en sterk, met verende pas en opgeheven hoofd loopt hij het ziekenhuis uit, naar buiten, naar zijn vrouw, naar zijn twee kleine kinderen. Hij loopt met de kracht die bij zijn leeftijd hoort.

Mijn zoon lag alleen in een kleine kamer, de luxaflex voor het raam was tot halverwege neergelaten. Vanuit zijn bed wees hij onder de luxaflex door naar buiten, waar niet veel meer te zien was dan rommelige parkeerterreinen, verveeld kijkende gebouwen en bestofte struiken in al even bestofte bloemperken. Daarachter bomen, daarachter in de verte, in mistige nevels gehuld, de bosrijke heuvels met de vele kloosters.

De zon scheen, het was hier lente, maar dan ook echt lente. Alles stond in bloei of begon te bloeien, de blaadjes aan de bomen lieten zich verwarmen door de zon, het leek net of ze hun groene handjes ophielden en om meer bedelden. Nog meer.

Mijn zoon wees naar buiten: dat ik daar zorgeloos zou mogen wandelen, zei hij.

Hij wachtte even. Toen begon hij over zijn grootmoeder te praten, mijn moeder. Hij identificeerde zich met haar. In deze kamer had hij aan haar liggen denken, aan hoe zij terugkeerde uit de dood, die Auschwitz heette in haar geval en kanker in het zijne. In deze kamer, nog voor ik kwam, of misschien wel veel vaker, moet hij daaraan hebben liggen denken. En net als voor hem nu, zoals hij me vertelde, moet voor haar de omgeving er niet toe hebben gedaan. Mooi of lelijk was van geen enkel belang. Was geen item, zoals hij dat zei. Zijn grootmoeder, toen nog een jonge vrouw, zou volmaakt tevreden zijn geweest áls ze maar mocht blijven leven. En vrij rondlopen, waar dan ook, stap stap stap. Zonder de dood op de hielen, zonder achterom te hoeven kijken of die er niet toch nog aankwam, of de dood zich niet stiekem had verstopt in een portiek, achter een hoek, in een kuil in de grond, achter een rotsblok, achter een boomstam. Om, zodra ze verder zou gaan, haar als de wiedeweerga in te halen.

Zoals het voor hem was, elke dag weer, met de dood vlak achter zich aan.

Ik wist toen niet goed wat hoop was. Was hoop een getal, zoveel procent haalt het wel en zoveel procent niet? Was hoop het gif in zijn arm? In zijn borst, buik, nieren, oren? Was hoop een verplichting waaraan je moest voldoen? Om er niet uitgegooid te worden? Om geen spelbreker te zijn?

Liet hoop je rechtop lopen? Een redeloze stok vanbinnen die je overeind hield omdat je anders als een plastic fles boven vuur ineen zou schrompelen?

Ik wil ergens heen met mijzelf. In gedachten loop ik met mijn lichaam te leuren; wie neemt het mee, wie houdt het vast, wie houdt mij vast? Misschien moet ik worden opgenomen, ja, dat lijkt me wel iets, opgenomen en weggeborgen in een statig steriel gebouw, ver van de stad – een gebouw met lange schone gangen en rustgevend ingerichte kamers, met een recreatieruimte en een gemeenschappelijke eetzaal. Er is daar natuurlijk ook een tuin met paden waarover je kunt wandelen. En er zijn banken. Als je er zin in hebt ga je op een van de banken zitten mijmeren en je kijkt eens naar de bomen, je kijkt eens naar de struiken, misschien groeien er ook wel bloemen, bloemen in voorzichtige kleuren en in vele soorten, roze en geel en zacht wit. Zomaar een beetje zitten mijmeren, geen heldere gedachten, het liefst geen gedachten, het liefst leegte. Dat het gebouw en de tuin omheind zijn door een hoog traliehek met ijzeren punten is juist fijn, ik wil er nooit meer uit. Hier hoef je niet op de schemering te wachten om je hol uit te durven kruipen.

'S Nachts slaap ik er de hele nacht rustig en zonder dromen, dat komt door de pillen, ik ben de pillen zielsdankbaar. Mijn bed is smal, de lakens zijn wit, evenals het katoenen dekbed, evenals de muren en het plafond. Overdag is er speltherapie, ik mag tekenen en verven en boetseren, ik mag gedichtjes schrijven. Ik mag krankzinnig zijn van verdriet, dat stoort daar niemand.

♡

Ik schaam me om de afstand, we wonen zo dicht bij elkaar, Nily en ik, waarom ga ik dan niet vaker naar haar toe? In de bocht van de singel woont ze. Met flinke stappen doorlopend buig ik mijn arm om op mijn polshorloge te kunnen kijken, ja hoor, ik heb nog geen tien minuten gelopen en ben al halverwege, zo dichtbij woont ze, en hoe vaak bezoek ik haar? Steeds sneller bewegen mijn voeten zich over de grijze straatstenen, de lantaarns branden maar ik loop dicht langs de huizen, ik mijd het licht van de lantaarns. Waarom ga ik toch niet vaker naar haar toe, waarom niet? Haar telefoonnummer ken ik uit mijn hoofd maar haar huisnummer vergeet ik elke keer, ik weet alleen dat waar zij woont het huizenblok een ronde bocht naar rechts maakt. Ik volg de singel gewoon tot die bocht – in de bocht zit het raam van haar keuken. Vroeger sloeg ze op warme zomerdagen de keukenramen wijd open, kroop op de vensterbank, hief haar gezicht met de ogen gesloten in overgave naar de zon, sigaret in de mond, en liet haar mooie lange benen brutaal langs de gevel bungelen, haar voeten raakten de grond net niet.

Het zijn vijf stenen treden tot haar voordeur en ik vraag me af hoe zij dat doet, hoe ze naar beneden gaat en weer naar boven. Ze kan de treden natuurlijk dromen, ze weet precies waar ze haar voeten neerzet en ze weet precies wanneer ze beneden is, op straat. Zou je dat voelen? Voelt een straattegel anders onder je schoenzool dan een stenen traptrede?

Of is het de ruimte, de omgeving? Dat zal het zijn; ze tast de omgeving af met haar voet, ze voelt de ruimte van de straat, de gelijkvloersheid.

Ik hoor haar aan het slot morrelen, door het glazen mozaïek van de voordeur zie ik haar aankomen, als altijd mooi en verzorgd. Een witte gesteven blouse draagt ze, een grijs vest met een dubbele rij parelmoeren knopen, een grijze rok, nylons, grijze sloffen. Zo ken ik haar, de zilveren wrong laag in haar nek, en met een glimlach die haar nog gave gebit toont.

Ze staat al in de grote hal en trekt met beide handen de zware voordeur open, ze hangt bijna aan de deur om die te kunnen openen. Het licht van al het marmer en van het hoge witte plafond verblindt me.

Jij al, Hanna, zo vlug, kom, wat sta je daar in de kou, kom toch binnen. Ze pakt me bij de arm, trekt me over de drempel, trekt me tegen zich aan en ik struikel bijna maar haar verwonderlijk sterke armen sluiten zich achter mijn rug – haar warme volle borsten omhelzen mijn borsten, haar buik opent zich voor de mijne en ik glijd erin weg, ik geef me aan haar over, aan de innigheid van haar hals tegen mijn wang, ik drink haar stem in en haar geur die fluistert langs mijn slapen.

Ik denk veel aan je, zegt ze.

Tegenwoordig zeggen mensen vaak dat ze veel aan me denken. Dat ze me begrijpen, ze zeggen dat ze begrijpen wat ik voel, wat ik doormaak, maar ik weet het zelf niet, ik ken het landschap niet waarin ik terecht ben gekomen. Het is een nieuw en verwarrend landschap, ik verdwaal er keer op keer en bega er de ene stommiteit na de andere – ik ben dan ook een vreemdeling geworden in dit leven, een verschoppeling. Aan de omgeving zal niets zijn veranderd, dat zegt Paula tenminste, en ik neem het onmiddellijk aan. De straat waarin ik woon, de huizen aan de overkant, de brug en het plein, zelfs het plein is niet veranderd, zegt Paula. Maar vaak, als ik buiten kom, trekken de huizen zich hooghartig terug en houden hun adem in, ze slikken, ik kan ze horen slikken. Ze willen mij niet, ze geven alleen bescherming aan anderen, aan hen die meedoen met het gewone dagelijkse leven – zij worden toegelaten, om welke reden dan ook. Misschien ligt de grens wel bij een bepaald percentage aan geluk. Kom je daaronder, dan is het bekeken. Verdriet bedreigt.

De straten zijn koel en kil, en terwijl de huizen zich terugtrekken, rekken ze zich uit en worden hoger, en de straten worden diepe kloven in een verlaten en stenig landschap zonder hemel.

Wie weet kocht ik die ansichtkaarten van Edvard Munch en Sir Luke Fildes wel om erachter te komen wat het was, *een kind verliezen*. Om het geheim te doorgronden en me zo voor te bereiden op het allerergste – mocht het me ooit overkomen. Maar de afgebeelde taferelen hebben me niet kunnen helpen.

Wat de winkels betreft, daar ga ik als het enigszins kan niet meer heen, zelfs niet nadat de schemering is gevallen – de winkels zijn immers verlicht. Liever neem ik op dat tijdstip de tram naar een buurt waar ik zo goed als zeker niemand ken, niet het gevaar loop herkend te worden.

Of ik neem de fiets, fietsen is het beste want in de tram kun je iemand tegenkomen en die iemand zou dan kunnen vragen hoe het met me gaat.

Soms klopt Paula op mijn deur, ze slungelt binnen en vraagt of ze iets voor me mee moet nemen, ze gaat toch naar de supermarkt, het is geen moeite. Meestal maak ik gebruik van haar aanbod.

Het is een lang, veel te mager meisje met slaperig haar en ogen waarin het helle licht de kleur overheerst zodat ik niet eens kan zeggen of haar ogen lichtblauw zijn of lichtgrijs of heel lichtgroen. Ze studeert zang. Mijn huis is geschikt voor studenten zang, ik heb geen buren die er last van kunnen hebben – als in een vuurtorentje wringt mijn bescheiden huis zich omhoog tussen een garage aan de ene en aan de andere kant een bedrijf met opslagruimten, en mij maakt het niet uit dat ze steeds dezelfde oefeningen zingt. Ik luister graag naar haar en moet me inhouden haar niet al te vaak achterna te gaan naar boven, waar ze studeert.

Gelukkig vraagt zij nooit hoe het met me gaat.

❦

Ik zou willen dat Nily me blijft vasthouden en ik me voor altijd bij haar kan verbergen, en ik zou willen dat haar weke warme lichaam van oude vrouw mij omvat, mijn zijn opheft. Maar ik sta al naast haar, los van haar, naast de kapstok in haar woning, trek je jas uit, Hanna, zegt ze en ik trek mijn jas uit en hang hem op, mijn shawl hang ik ernaast terwijl zij doorloopt, haar aan de gang grenzende keuken in en vraagt of ik thee wil – het is geen werk, alleen even de waterkoker aanzetten, theezakje in een glas, en hupsakee klaar.

Misschien omdat ik haar wilde helpen, wat zij vriendelijk maar beslist weigerde, weet ik niet meer waar ik mijn tas heb neergezet. Aan de kapstok hangt hij niet en onder de kapstok is niets te zien, ook niet in de keuken, waar Nily zich diep over het theeglas buigt. Ze houdt de ketel hoog in haar rechterhand en het kokende water stroomt rakelings langs haar wang en ingespannen starend oog. Nee, ik mag niet helpen, zij kan het zelf.

Ik vind de tas in de woonkamer. Ik moet, toen haar armen me loslieten, haar woonkamer zijn binnen gewankeld en de tas aan de zwartleren designstoel hebben gehangen, de stoel waar ik altijd op zit. Zij heeft dat niet gedaan, ze is direct van de kapstok haar keuken in gelopen en komt nu binnen met mijn bijna tot aan de rand gevulde theeglas. Zonder morsen zet ze het neer op de glazen salontafel, en vindt feilloos haar weg eromheen naar de bank – een okerkleurige bank, voornaam en mooi, zoals alles in haar kamer voornaam is en mooi en ooit met zorg bijeengezocht. Ze nestelt zich in haar hoekje, haar rug naar de donkere vensters waarvoor geen gordijnen hangen.

Doodstil zit ik op de zwartleren stoel naar haar te kijken. De afstand tussen ons is merkwaardig groot geworden, is als een meer waarop een verraderlijk dunne ijslaag spiegelt, en ik staar maar naar de ijsvlakte tussen ons in en durf me niet te bewegen en zie dat ook zij zich stilhoudt.

De ijsvlakte tussen ons in verdonkert, wordt antracietgrijs, dan verschijnen er kleine gekleurde blokjes in, piepkleine vierkantjes in alle kleuren van de regenboog – ze glimmen en glinsteren er vrolijk op los. De ijsvlakte is nu een vloer, een donkere linoleum vloer versierd met kleurige blokjes, en ik herken onmiddellijk de immense ziekenhuishal. Uit vensterglas hoog in het plafond valt licht op het linoleum en kijk, daar zit ze weer, de kleine dochter van mijn zoon, gehurkt, in een blauwe jurk met kanten kraagje, helemaal alleen, verzonken in haar spel. Het goudblonde haar hangt voor haar gezicht en het valt me op hoe klein ze is, hoe tenger, hoe wit haar maillot om de dunne beentjes, hoe overweldigend, bijna hardvochtig de hal op haar neerziet, op het kind gehurkt op de vloer van antraciet in haar blauwe jurk. Dan kijkt zijn kleine dochter spiedend in het rond, ze zoekt iets, maar hoe in hemelsnaam kan ze wat zien door het gordijn van haren, dat voor haar ogen hangt? Ineens springt ze als een kikkertje op en komt een eindje verder neer, op een plek ernaast, daar moet ze zeker zijn. Vliegensvlug pakt ze iets van de grond, klemt het in haar hand – wat het is kan ik niet zien – en dan begint het spel van voren af aan.

Wat heb je daar?

Ze opent een kleverig handje en toont me de leegte ervan, roze, zegt ze, mijn lievelings, roze is mijn lievelings, ik zoek een schat, wil jij naar ze toe? ze zijn daar. En zonder van houding te veranderen, nog altijd op haar hurken, wijst ze met een gestrekte arm achter zich naar een kierende deur die uitkomt op de hal van het ziekenhuis. Ze zijn bij papa, papa is daar.

En ze speelt verder.

Alleen het bewegen van Nily's lippen zegt me dat ze iets vraagt. In razende vaart verbleken de kleurige blokjes van de linoleumvloer, de vloer trekt zich terug en lost op in het niets. Met de vloer verdwijnt ook de ziekenhuishal en het spelende meisje in haar blauwe jurk.

Hoe is het met je? vraagt Nily.

Ik schrik op. Die vraag weer. Daar heb je haar. Radeloos maakt ze me van onmacht. Die altijd weer vriendelijke, op vragende toon uitgesproken zin verlangt iets van me waaraan ik niet kan voldoen en ik verlies elke controle. Nily's vraag voert me terug in de tijd, zet me neer in de tram waar mijn eerste schuldeloze slachtoffer wacht. Het is avond, ik zit op een bank bij het raam en kijk naar de met een zilveren viltstift bekladde leuning voor me en naar de geribbelde vloer waarover een geblutst bierblikje rondtolt, en naar mijn laarzen en bedenk dat ik ze had moeten poetsen, dat het zo geen gezicht is. Paula dringt erop aan dat ik nieuwe koop maar het laat me allemaal koud. Sinds kort ken ik de naam van de ziekte waaraan mijn zoon lijdt. Ik zit in mijn hoekje en waarom weet ik niet, maar iets moet mijn aandacht hebben getrokken, iets of iemand in de vrijwel lege tramwagon voor me.

Daar staat hij, Steven, één hand om een stang. Hij heeft een baard, doortrokken met gelige en grijze vlammen, hij draagt een zeiljack en een ribbroek en bergschoenen. Hij droeg altijd al bergschoenen, hij kleedde zich altijd alsof hij op weg was naar de een of andere wildernis in een ver en bar oord, alleen de baard is nieuw. Hij kijkt me aan en ik merk hoe ik langzaam overeind kom van de bank – ik word omhooggetrokken, ik sta al, ik loop op hem toe. Het is niet in mijn hoofd opgekomen te blijven zitten en mijn gezicht af te wenden, geen ogenblik is het bij me opgekomen dat hij me misschien niet eens herkent na al die jaren en alleen een vage gelijkenis meent te zien – niet meer dan dat – met de vrouw die eens met haar man en baby naast hem woonde in dezelfde flat, en met wie hij bevriend was, een kortstondige maar intense vriendschap waar zijn verhuizing een abrupt eind aan maakte. Lange winterse wandelingen langs het strand samen, en terwijl ik juist aan die wandelingen moet denken, verandert de hand waarmee hij zich vasthoudt aan de stang in een blote rode spartaanse hand die in ijskoud striemende wind de kinderwagen waarin mijn baby ligt te slapen door het rulle zand duwt.

Hé, wat een verrassing, Hanna – zijn vriendelijke gezicht bloeit open – wat een verrassing om je te zien, vertel eens, hoe is het met je?

Waarom zeg ik dat mijn zoon ernstig ziek is?

Steven's gelaatsuitdrukking verandert, en ik weet het; er gaan vragen volgen, vragen die ik niet wil horen, vragen waar ik antwoord op zal moeten geven. Waarom heb ik niet gezegd: het gaat goed, en met jou? Dat was helemaal niet opgevallen, en wie vraagt me eerlijk te zijn en de intimiteit van mijn leven te ontbloten voor iedereen die wil weten hoe het met me gaat? Ik hoor niet meer wat hij prevelt, ik begrijp alleen dat hij op weg is naar het Centraal Station, om daar de trein te nemen waarschijnlijk, en ik raak in paniek om wat hij nu met zekerheid zal vragen. Bij voorbaat breek ik zijn woorden af, laat zijn vriendelijke blik doodbloeden op de starheid van mijn gezicht, zeg dat ik terug moet, draai me om, ga op mijn plek zitten, aan het raam.

Verbazing en onzekerheid in zijn ogen, in zijn bewegingen, dat was nog het ergste, de verwarring en onzekerheid in zijn bewegingen, het niet weten wat hij met zichzelf aan moest, op de vlucht voor zichzelf, voor mij, voor een situatie die hij niet kan begrijpen. Hij loopt door de wagon naar voren, naar waar de bestuurder zit en dan weer terug, aarzelt, laat zich op een bank neer, staat weer op. Wanneer de tram stopt, stapt hij haastig uit.

Hij was mijn eerste slachtoffer.

Maar ga toch zitten, Hanna.

Ik sta midden in Nily's kamer, blijkbaar was ik overeind gekomen uit mijn stoel en de kamer ingelopen. Achteruit schuifel ik terug en ga zitten.

Zij mag me vragen hoe het met me gaat, haar zou ik willen vertellen wat ik Steven heb aangedaan, haar zou ik het willen vertellen.

De taal van mijn nieuwe leven is mij onbekend, uit armoede maak ik gebruik van woorden van vroeger. Woorden uit de tijd van vanzelfsprekendheid. Het schijnt geen belemmering te zijn dat ik uit onmacht woorden gebruik die voor mij de juiste niet zijn. Tot mijn verbijstering beweren mensen dat ze me prima begrijpen.

Gaat het goed met je? (op straat word ik staande gehouden)

Ja, antwoord ik. Of: best. Je ziet het, ik leef nog. En ik loop en ik eet en ik lees een boek, althans ik probeer een boek te lezen, en ik kijk eens uit het raam of de duisternis al van plan is te komen, zoiets.

En ik denk: hoe in godsnaam kan het goed gaan met een vrouw die haar kind verloor?

Hoe gaat het? (iemand belt me op)

Z'n gangetje, antwoord ik, en ik bedoel: het rouwen gaat z'n gangetje – het woord 'rouwen' laat ik weg, het antwoord is zo al cynisch genoeg.

Dit antwoord werkt, er volgen geen vragen meer, maar daar is ook alles mee gezegd.

Een luide stem roept me wanneer ik in de schemering door het park wandel: hé Hanna, Hanna. Een kennis komt op me toegelopen – ik had je nog willen bellen, lieve schat, maar het kwam er steeds niet van, het was zo druk, we hadden problemen met ons nieuwe huis, de waterleiding en zo, en het dak lekte, natuurlijk net in het weekend, we konden niemand vinden om het te repareren, hoe is het eigenlijk met je?

In een vlaag van niet te bedwingen openhartigheid antwoord ik: nou, het gaat wel.

Dus het kan beter?

In verwarring gebracht trek ik mijn schouders op.

Of is er nog iets anders, een andere narigheid? Oprecht bezorgde en onderzoekende blikken.

Nee, zeg ik, en met onderdrukte teleurstelling én woede: dit lijkt me wel voldoende, een kind verliezen.

En de pijnlijkste aller vragen, de meest abjecte: of alles goed is?

Of álles goed is?

Nooit nagedacht, zeker, over de betekenis van het woord 'goed'? Nooit een moment stilgestaan bij het woord 'alles'? De vanzelfsprekende nonchalance waarmee wordt omgegaan met woorden – de respectloosheid ten aanzien van hun betekenis – is bitter.

Evenals de slordigheid van nadenken, of de afwezigheid ervan – dat alles balt zich samen in die ene vraag die neerkomt op – ik kan het niet nalaten te denken – respectloosheid jegens de aangesprokene.

Wat te antwoorden?

Of is het geen vraag? Nu ik erbij stilsta begint de gedachte post te vatten dat het geen vraag is, maar een bevel, een op vragende toon uitgesproken bevel. Alles móét goed zijn. Problemen bestaan niet. Nee, liever niet. En mocht verdriet al ergens om een hoek turen of door kieren kruipen – met die vraag maakt de ander duidelijk: laat mij er vooral buiten.

Of zijn de woorden eerder een bezwering? Een niet kunnen, niet willen aanvaarden van verdriet, van pijn, van moeilijkheden? Zeker niet die van een ander? En verschoond willen blijven van elke vorm van ellende?

Een bezwering is het, die vraag, een niet willen weten. Nu begrijp ik het. Uit wanhoop geboren, en misschien uit angst het niet te kunnen dragen, of bezoedeld te worden met andermans verdriet. Of uit luiheid, of om gebrek aan interesse te verhullen.

Zo kan ik nog wel een tijdje doorgaan.

Maar nee, het ligt aan mij. 'Alles goed' betekent niets anders dan: hallo. Waarom weet ik dat niet? Waarom weiger ik me te schikken in de gangbare ordening en zeg ik niet gewoon hallo terug? Waarom doe ik niet mee?

Het is een tekort van mijn kant. Een koppig vasthouden aan letterlijke betekenissen, aan een zinloze en allang afgedankte zorgvuldigheid.

Ik ben nog altijd op de vlucht met al die vragen op mijn hielen.

Uit onnadenkendheid, vrees ik, worden de meeste wreedheden begaan.

❦

Tussen Nily en mij in ligt een doodgewoon tapijt, een lichtbeige, wollen berber met kwasten langs de rand. Dat ik dat niet eerder heb gezien en me gek heb laten maken door visioenen. Gewoon parket ligt er. Gewoon een kleed op parket.

Nily's voeten in bontgevoerde sloffen staan op dat kleed, evenals mijn voeten, de mijne in afgetrapte laarzen (ik kom er maar niet toe een paar nieuwe te kopen ook al heeft Paula gelijk) en daar is ook de salontafel weer. Ik herken mijn theeglas, pak het glas en terugleunend warm ik mijn handen eraan – ik heb het koud, sinds zijn dood heb ik het altijd maar koud. Ik zie Nily naar me kijken, haar bruine ogen dwalen zoekend achter de grote brillenglazen, tasten langs mijn gezicht, verwijderen zich ervan, keren er weer naar terug.

Ik ben gauw uitgepraat. Wat is er nou allemaal te vertellen. Het gaat zoals het gaat, dat is waar ik altijd weer op uitkom.

Na elke uitslag tijdens de lange maanden van zijn ziekte vlogen mijn gedachten alle kanten uit, sleurden me van vragen om gerechtigheid naar het waarom van de afwezigheid ervan, schoten in scherpe lijnen omhoog en omlaag als op een grafiek en toonden een onleefbaar landschap van pieken en kloven. Uiteindelijk kwamen ze tot stilstand bij die ene horizontale constatering: het is zoals het is.

Ook na zijn dood.

Elke keer hoopte ik iets nieuws te vinden, iets anders, iets wat ergens heen leidde, of een doel in zich droeg. Voor anderen of voor mezelf – maar tot nu heb ik niets gevonden.

Nog altijd dwalen Nily's ogen langs de contouren van mijn gezicht, dan vraagt ze of ik wel gezond eet.

Ze hoeft zich echt geen zorgen te maken, Paula, de studente zang, koopt fruit voor me, en dadels, soms een chocoladereep, van alles koopt ze, ook als ik vergeet daarom te vragen. Vreemd, ik geef Nily dit antwoord alsof het een bewuste waarneming is die ik paraat heb, maar nu pas realiseer ik me hoeveel Paula voor mij doet, en een gevoel van gêne overvalt me.

Nily's gerustgestelde glimlach toont me haar fraaie gebit. Ze heeft haar gebit behouden, ze is er trots op, al kan ze haar glimlach niet meer zien in de spiegel. Het lukt haar soms, mits opgeheven tot vlak voor haar brillenglazen, een detail te ontwaren in het donker van haar wereld, een detail als bijvoorbeeld de stof van een vest, de steen in een ring, een detail niet groter dan een traan. En met behulp van een speciaal voor haar geconstrueerde lens, die de werkelijkheid in zijn geslepen glas vangt en tientallen malen opblaast, is ze met grote inspanning in staat een tekst tot leven te wekken door letter voor letter onder de loep door te schuiven. Op haar werktafel tegen de muur staat die lens in een standaard klaar om haar de letters aan te reiken zodat ze die met eindeloos geduld tot een woord kan samenvoegen. En als het moet tot een zin.

De ezel in haar kamer is omgedraaid en weggeschoven in een hoek, en tegen de muren staan haar schilderijen gestapeld – ruggen naar haar toe, schilderen is verleden tijd. Zoals ook haar roken verleden tijd is.

Naast de tafel, tegen de muur, de hals omvat door een gestreept lint dat bevestigd is aan een houten boekenplank, staat haar cello. De muziekstandaard is afwezig – muziek kan ze niet meer lezen –, ze speelt uit haar hoofd. Maar liever speelt ze op het klavecimbel, ik zou haar voor ik wegga kunnen vragen iets voor me te spelen.

Ze is de mensen die ons tijdens de oorlog in huis hebben genomen, en bij wie we beiden bijna twee jaar hebben 'gewoond', dankbaar, dat vertelt ze mij elke keer weer en elke keer weer wil ik dat horen. Zij legden, zegt Nily, mijn talent bloot, door hen heb ik van muziek leren houden en ben ik naar het conservatorium gegaan. Ik heb verloren en ik heb gewonnen. Mijn familie ben ik verloren maar de jaren bij hen – ze wacht, kijkt me aan: onze jaren bij hen, en het woord 'onze' verwarmt me, ze schenkt het me, het onderstreept onze verbintenis – door hen, hervat ze, is mijn leven rijker geworden en die rijkdom, de muziek, heeft me geholpen het verdriet te dragen en helpt me nu door mijn blindheid heen.

Het is troostend te weten dat wij aan hetzelfde denken, Nily en ik. Zij aan haar 'niet meer', ik aan het mijne. Dat is het prettige bij Nily, we hoeven elkaar niets uit te leggen, we hoeven niet te praten, we kunnen tegenover elkaar zitten, zij in haar hoekje van de bank, rug naar de vensters, ik op de rechte stoel, allebei in stilte.

♡

Ooit sliepen zij en ik in één bed, zij was twintig en eenentwintig en ik was twee en drie. We waren ondergedoken bij een echtpaar met kleine kinderen. Deze episode, de oorlog, deze mensen, verbinden haar en mij, en of het nu is door haar omhelzing in de gang bij mijn binnenkomst, of door het woord 'onze' dat ze me zojuist schonk, of door beide, ik weet het niet, maar een heftig verlangen maakt zich als een lichte pijn uit mij los. Verlangen naar de tijd waarin ik naast haar sliep in bed en zij voor mij zorgde en ik kind was, door haar beschermd en gekoesterd. Zolang ik dat kleine kind ben en zij er is – mijn naïeve en allerprilste gedachten vliegen met gazen vleugels, onaangetast door later begrijpen, over de tijd op mij toe – zolang ik kind ben en zij bij me is, kan er niets gebeuren, niets ergs. Haar omhelzing in de gang, begrijp ik nu, was een moederlijke omhelzing, de omhelzing die ik zocht zonder te weten wat ik zocht, een omhelzing die me terugvoerde naar wat verloren is, wat niet meer bestaat en wat ook nooit heeft bestaan. Toch wil ik het terug, ik wil het terug, en mijn verlangen is zo heftig dat ik begin te trillen. Ik wil het verlies van mijn kind kunnen delen, dat is het, en om het steeds heviger trillen te bezweren houd ik mijn armen stijf om mijn middel geslagen. Ik knijp mezelf dicht en buig iets voorover om de gedachte te kunnen toelaten dat haar omhelzing in de gang me slechts een ogenblik de illusie gaf eenzelfde verdriet te delen, eenzelfde ongeloof, eenzelfde leegte.

Hij kon zo lachen, zeg ik tegen Nily en ik probeer, door mezelf te wiegen, het trillen te beheersen en als in gebed beweeg ik mijn bovenlichaam op en neer, op en neer... hij kon zo aanstekelijk lachen – door over hem te praten word ik rustiger –, als hij lachte wierp hij zijn hoofd in z'n nek en de tranen biggelden over zijn wangen, uit zijn buik kwam het, de lach kwam uit zijn buik, ik heb nooit iemand zo aanstekelijk zien lachen.

Ik wacht om mijn zoon te laten lachen in mijn hoofd, hem te zien, zijn ogen gesloten, de mooie mannelijke mond met volle lippen die witte regelmatige tanden tonen waartussen de onweerstaanbare lach naar buiten rolt. Zijn bos krullen lacht mee, zijn hele lichaam lacht mee. Ik heb zin om over hem te praten, ik moet over hem praten: weet je, Nily, hij kon verrukkelijk appeltaart bakken, één keer versierde hij een taart – om mij op stang te jagen – met hakenkruisjes. Van deeg. Dat heb ik je vast al eens verteld. De hele rand vol goudkleurige, geurende hakenkruisjes, warm en knapperig met geroosterde amandelen erop die smolten in je mond, ik moest er zo om lachen, zo bevrijdend was het daarom te kunnen lachen. Heb ik je verteld hoe hij eens een antisemiet uit zijn auto zette, ergens midden in de rimboe? Hij zei: eruit jij, en die kerel ging eruit, onmiddellijk. Een proefrit maakten ze, die vent wilde de auto van mijn zoon kopen maar eerst maakten ze een proefrit, dat sprak vanzelf, en toevallig waren ze net op een industrieterrein beland, ergens buiten de stad – hij woonde nog hier – toen de koper zich als een rasechte antisemiet ontpopte. Mijn zoon – ik vind het prettig om 'mijn zoon' te zeggen – mijn zoon remde af, zette de auto aan de kant, en zei: eruit. Ik begin te gloeien van trots, ik wil helemaal nooit meer ophouden met over hem te praten – mijn zoon zei: eruit, of hij wees alleen maar, dat was al genoeg, en die kerel die zijn vader had kunnen zijn keek hem aan met een blik van: dat meen je niet, maar mijn zoon hoefde alleen maar naar het portier te wijzen of die vent opende gehoorzaam de deur en daar stond hij in *the middle of nowhere* en moest toezien hoe mijn zoon de auto optrok en wegreed.

Mijn zoon lacht niet meer. Vroeger wel. Nu niet meer. Wat betekent *niet meer*? Wat is de betekenis van 'niet' wanneer hij zo alom aanwezig is, zo aanwezig als hij nooit is geweest tijdens zijn te korte leven toen de luxe van vanzelfsprekendheid nog welig tierde in een onafzienbaar landschap vol vanzelfsprekendheden, én tijd. Want tijd was er in overvloed, de voorraad leek onuitputtelijk. Die nooit meer terug te halen tijd waarin ik niet almaar aan hem dacht. Omdat hij leefde. Omdat hij *er was*.

Juist nu is hij overal en altijd aanwezig – zo aanwezig dat mijn leven voortrolt over twee wegen, boven en onder elkaar, zo te zien identiek. Twee wegen die ik tegelijkertijd afloop en waarvan de meest pregnante, de meest aanwezige, de nooit sluimerende die is waarin alles van hem in mij verweven zit – mij voedt en mij ontregelt.

Vanaf die weg kan ik naar mezelf zwaaien op de andere weg, naar mezelf kijken, kijken wat ik aan het doen ben in het leven dat voor altijd is veranderd.

Wanneer ik lach om een grappig verhaal dat Paula me komt vertellen, sla ik mijzelf gade: ik lach. Een constatering als een wetenschappelijke meting, ontdaan van elke emotie. Die lach staat los van mijn werkelijkheid, is een lach op zichzelf – niet verbonden met mij. Al ben ik het die lacht.

Wanneer ik met smaak eet, constateer ik dat ik met smaak eet en vervreemd van mijzelf. Wanneer ik in mijn warme bed stap, constateer ik dat ik in mijn warme bed stap en dat hij nooit meer in zijn warme bed stapt, nooit meer naast zijn vrouw gaat liggen en niet meer met haar kan zijn en dat zij zonder hem moet zijn net als zijn kinderen zonder hem moeten zijn. Dat zijn zoon en dochtertje zonder hem moeten leven en hij ertoe veroordeeld is ze niet te zien opgroeien en zij ertoe veroordeeld zijn hem te missen, veroordeeld verder te leven met alleen herinneringen zonder dat er nieuwe en verse kunnen worden aangemaakt en ondertussen,

hoewel niemand in staat is daar iets tegen te doen, wordt de afstand tot de herinneringen groter, langer, raken de herinneringen verder verwijderd, kunnen de kinderen niet anders dan die afgeperkte hoeveelheid herinneringen terugroepen in hun verbeelding en ze onderhouden en koesteren *om ze nooit te vergeten, nooit,* niet hoe hun vader ze rondzwaaide aan hun armen, hoog optilde in de lucht en zij plotseling zo licht werden en alle zwaarte verdween en het was alsof ze zweefden, en hoe hij ze droeg op zijn rug, hun haren waste onder de douche, met hen speelde in de sneeuw, hoe zijn stem klonk, zijn ogen lachten of streng keken, hoe hij voor het naar bed gaan met ze stoeide. En zijn geur, de geur van hun vader.

Hoe doen zij het, vraagt Nily. Zijn vrouw en kinderen? Ze vouwt een grote geruite mannenzakdoek open op haar schoot – waar heeft ze die zo ineens vandaan gehaald? – ze veegt ermee langs haar neus, frommelt hem ineen en bergt de zakdoek in een zakje van het vest waar nu een onschuldig bolletje ontstaat dat daar niet eerder was en ik zeg haar hoe hij alles heeft verdragen *om maar bij ze te kunnen blijven*, dat het voor hem niet te aanvaarden was, doodgaan, en zijn gezin achterlaten. Alsof hij ze bewust en uit eigen keuze achterliet.

Nily's blinde ogen blijven oplettend op mij gericht, ze lijken niet tevreden met mijn antwoord, ik moet wel doorgaan en vertel dat hij in grote liefde afscheid van hen nam, dat dat kracht geeft om door te gaan – wat zij net zo goed weet als ik –, en in een adem, nog voor ze verder kan vragen, vertel ik van de hulp die de familie van mijn schoondochter het gebroken gezin biedt – ze wonen, godzijdank, dicht bij elkaar. Ik leg de nadruk op het van harte uitspreken van het woord 'godzijdank', want het is niet zo dat ik niet blij ben met de steun die mijn schoondochter en de kinderen van haar familie krijgen, het geeft me rust, ach, woonde ik maar naast hen, of liever nog, woonden ze maar hier. Wanneer ze in mijn nabijheid zijn, schenken ze me vleugels en ik vertel Nily van tekeningen die mijn kleinkinderen opsturen, kleurige tekeningen, van hun papa – met krullen – achter het stuur van de auto, of hoog in de hemel als ster die pijlen met hartjes naar beneden schiet, een hartje voor elk van zijn kinderen en één voor hun mama, en vrolijke tekeningen van de kerstman, maar wanneer ik begin over het gedichtje dat zijn kleine jongen schreef, pas geleden, over alles willen doen om zijn vader terug te krijgen, word ik me ervan bewust dat ik mijn stem niet meer onder controle heb en ik dwing mezelf langzaam te praten zonder dat dat me lukt omdat ik zie hoe Nily met de rug van haar hand over haar wang veegt, en die beweging van haar hand over de gerimpelde huid van haar wang zuigt me in zich op, de wang en de hand en een vreemde nattigheid die een spoor achterlaat als van een slak, een glinsterend spoor dat nu weer weg is, meegenomen door de rug van haar hand naar de grijze stof van de rok, en daaraan afgeveegd. Maar de rok verraadt niets. Ik schroef mijn stem op tot een opgewektheid die ik niet voel, en met een glimlach die helemaal nergens op slaat – ze kan me immers niet zien – mompel ik dat ik het gedicht zal vertalen en haar zal voorlezen en ik vertel van de kinderstemmen aan de telefoon en dat ik ze toch al redelijk goed kan verstaan en van de keren dat dat niet lukt en mijn schoondochter hun woorden voor me vertaalt. Want hoelang heeft mijn zoon Nederlands met ze kunnen spreken al met al? Nou, hoelang? vraag ik alsof ik dat zelf niet zou weten.

En jij? zegt Nily.

Dat weet je toch, ik probeer de taal onder de knie te krijgen, ik neem lessen en het gaat steeds beter, het is bepaald erg grappig – nog altijd op dezelfde geforceerde toon en met de glimlach die nu kil en star aanvoelt, herhaal ik: het is echt grappig, alsof ik het ook werkelijk grappig vind dat ik lessen neem in een vreemde taal en Nederlands geef aan vreemdelingen. Maar nu even niet, de bedrijfsarts heeft het ziekteverlof met weer drie maanden verlengd, en mijn directeur steunt me.

Dat bedoel ik niet, Nily's blik is vorsend op mij gericht, en jij?

Alsof ze me ziet, denk ik ineens, alsof ze het antwoord kan lezen in mijn houding, in hoe ik zit, in hoe ik kijk.

Het gaat om de kinderen en om haar.

En jij?

Ik ben hem onderweg verloren. Wil je alsjeblieft iets voor me spelen?

Ik draag mijn stoel naar het klavecimbel en zet die zo neer dat ik haar handen kan zien. Met mijn rug naar de gang zit ik, mijn tas naast de stoel op de grond; achter me de gang met de kapstok waaraan mijn jas hangt en mijn shawl, daarachter de deur die toegang geeft tot de gemeenschappelijke marmeren hal. Mijn jas vlakbij om die aan te kunnen trekken zodra ik weg wil. Ik moet altijd kunnen weggaan wanneer ik wil. Of niet zozeer wil, maar gedwongen word, beslopen door een onrust waartegen ik geen verweer heb en die me opzweept en voortjaagt.

Door de ramen achter de bank waar Nily 'haar hoekje' heeft, zie ik in het licht van de straatlantaarn het bewegen van de herfstbomen, de grijze fijnmazige takken als vitrage tussen ons en de singel daarachter, en de stad daarachter.

Nily's handen zijn verwonderlijk groot en breed met krachtige lange vingers waar de tijd van is afgebleven, ringloze vingers. Boven de toetsen veranderen haar vingers in eigen onafhankelijke wezens, in tentakels met onder hun toppen tien alerte ogen, tien verliefde gretige monden verlangend naar de toetsen.

Waaraan heeft hij liggen denken nadat ze hem de hoop hadden afgenomen? Waaraan heeft hij liggen denken nadat hij mij had gebeld en gezegd dat het voorbij was. Gezegd: het is voorbij. Ik moet op de bank hebben gelegen in mijn kamer en half overeind zijn gekomen en met de hoorn in mijn hand moet ik die zin: het is voorbij, hebben gehoord. Maar ik kan me niets concreets herinneren, niets tastbaars, geen materie en zeker geen bank, zeker geen telefoon of een kamer of mijn eigen lichaam – ik was slechts gehoororgaan waarin de boodschap resoneerde, deel geworden van een onmetelijke leegte waarin alleen die ene zin ronddoolde: het is voorbij.

Waar heeft hij aan liggen denken nadat ze hem de hoop hadden afgenomen? In zijn bed, thuis, op zijn linkerzij om de sluipschutter, de moordenaar (zijn eigen woorden) in zijn buik ruimte te geven. Niet een vrijwillig ruimte geven maar ruimte opgeëist door de stompzinnigste aller moordenaars. Want de dood van mijn zoon zou onherroepelijk de miserabele dood betekenen van de moordenaar – de moordenaar had immers leven nodig om zelf te kunnen leven, te kunnen woekeren. Waarom begreep hij dat niet? Hij had desnoods mogen blijven, zijn deel in de buik opeisen, maar wel met mate en met enig verstand – veel verstand was daar niet eens voor nodig. Zo veel ruimte kon hij desnoods krijgen, als hij mijn zoon maar in leven liet – een deal – maar zelfs daarvoor ontbrak het hem aan verstandelijke vermogens. Alleen maar een redeloos woekeren met slechts een enkel doel voor ogen:

GROEIEN

Uren later leefde de moordenaar nog. Ik heb hem gevoeld. In het koude lichaam van mijn zoon gaf hij warmte af. Ik voelde die warmte in de zij en de rug van mijn zoon. De moordenaar leefde nog, zij het vol bitter ongeloof. Te laat had hij zijn stompzinnigheid ingezien, ook hij gaat eraan. Niet eens met vreugde heb ik de beul onder mijn handen voelen verkillen en afsterven.

Waaraan heeft mijn kind liggen denken, die laatste dagen?

Wanneer ik mijn ogen open, zie ik Nily's handen bewegingloos boven de toetsen hangen, en nu hoor ik haar ook, de stilte. Hoe lang is Nily al opgehouden met spelen? Of hield ze net pas op? Wat heeft ze gespeeld? Ik heb het niet gehoord. Of heeft ze niet gespeeld maar naar mij gekeken, zoals nu? Nu kijkt ze me aan. Haar ogen zoeken mijn gezicht, dat ondanks het lamplicht donker moet zijn, versmolten met de donkerte van haar wereld.

❦

II

WINTER

Het is winter geworden, de winter na de winter waarin hij stierf, de winter na de herfst waarin ik op de schemering begon te wachten.

Nog maar drie weken, dan tikt de wijzer de datum aan van de dag –, dan tikt de wijzer het uur aan van de dag, tikt het uur aan en de minuut van zijn sterven, *eenentwintig dagen* nog tot die avond in de winter.

De jongen lag op zijn buik op het ouderlijk bed, zijn gezichtje vlak voor het gezicht van de dode vader. Op zijn buik lag hij, steunend op zijn ellebogen, het hoofd in zijn kleine handen. Zo bestudeerde hij de boodschap van het achtergelaten vaderlichaam, het onomkeerbare gegeven voor hem op het bed: de verstarde kou, de onaardse stilte, open ogen die niet zagen, een mond die niet sprak, niet glimlachte naar het kind, niet blij glimlachte om hem, zo dichtbij op het bed – mond, ogen, oren die zwegen.

Het kind liet de vaderdood toe in zijn lichaam, in zijn hoofd, in zijn gedachten. Hij wilde weten, wilde begrijpen, begrijpen wat hij alleen kon ervaren in de tijd. Hij huilde niet meer, hij kéék nu, bestudeerde de dood.

Waar hij aan toe was in een toekomst die zojuist was aangebroken, die al in volle gang was gezet, dat was wat de jongen probeerde te begrijpen, want vanaf dit moment zou alles anders zijn, dat was hem woordeloos duidelijk, maar wat dat was, alles anders? Wat dat was?

De blik op het vaderlichaam gericht schoof het kind behoedzaam, behoedzaam achteruit, liet zich zonder enig geluid te maken van het bed glijden, liep op zijn tenen om het bed heen, de blik blijvend gericht op zijn vader. Plotseling bukte hij en kwam overeind met de witte poes in zijn armen, zijn armen vol warme poes tegen zich aan.

Buiten ijskoude slagregens, voortgezwiept door krankzinnig geworden windvlagen, die rukten en trokken aan het gordijn in de kamer van de dode.

Maar als ik uren later ondersteund door een neef van mijn schoondochter door het kleine park terugloop naar mijn hotelkamer – daar wacht Nily me op – is de wind spoorloos en valt uit de blauwzwart, strakgespannen hemel geen druppel regen. Al lopend realiseer ik me dat ik nog kan lopen en ik neem waar dat het park er nog is, en de neef van mijn schoondochter – een kale, zwetende man die me bij mijn elleboog vasthoudt en me lijkt te sturen terwijl er een kreunend, bijna grommend geluid uit zijn mond ontsnapt – dat die man er nog is en mijn voetstap over het grindpad en de zijne naast de mijne en de avond, ook de avond is er nog. Of is het nacht? De zwartblauwe hemel is er en achter me het huis van mijn zoon aan het park, en het raam met het gordijn dat alles zag... en voor me het neonlicht tegen de façade van mijn hotel dat tussen kale boomtakken glinstert, en de stad en de heuvel met de kloosters. Die zijn er ook nog.

Hoe gaat het met je?

Wat moet ik verdomme antwoorden. Wat?

Ik zit in de trein. De trein dendert achteruit voort, voort zijn eerste sterfdag tegemoet, de trein voert me langs stations van hoop en wanhoop, van ziekenhuisopnames, kuren, van wachten op uitslagen – van wachten op uitslagen vooral. De trein slaat niet één station over. Stations met klare beelden van wat was, compleet met tekst en geluid – driedimensionaal maar liefst – al die stations wachten vol ongeduld op hun beurt. Wanneer ik uit het raam kijk, zie ik wat voorbij is maar nooit voorbijgaat.

De ramen van de trein moeten wel met spiritus zijn schoon gewreven, want elk detail, hoe nietig ook, dringt zich aan mij op. Het is alsof er geen glas zit tussen mij en de divan in mijn eigen woonkamer. Want dat is wat ik te zien krijg. Op die divan lig ik, wachtend. Ik wacht deze keer op het wonder van een experimentele medische behandeling, waarop ik van mijn zoon niet mocht hopen. Ik wacht op de uitslag. Klamp me vast aan het spinrag van de hoop, zoals hij dat doet, zoals iedereen die van hem houdt. Want dat heb ik inmiddels wel geleerd, tussen een flinter van een splinter hoop en het totaal ontbreken ervan, slaat de wereld te pletter.

Wachten kost me zo veel inspanning dat ik alleen nog op de divan kan liggen. Maar ook dat kost moeite want ik tril zo hevig dat ik me met beide handen aan de randen moet vasthouden om er niet af te vallen.

De kracht van de herinnering aan het wachten breekt een parallelle herinnering open, één van lang geleden. Brokjes eenzame kindergedachten over heel zeker weten dat je, als je een volwassene was geweest tijdens de oorlog, je jezelf meteen had aangegeven bij de Duitsers. En niet was ondergedoken. Nooit. Leven in voortdurende angst te worden verraden en ontdekt in je schuilplaats, op je onderduikadres, leek het opgroeiende kind in mij onverdraaglijk. Wachten tot ze zouden komen om je te halen, zeker. En maar hopen en wachten. Op het gebonk op de deur. De gierende bel. Het in elkaar rammen van de voordeur. Opgehaald om te worden gedood.

Hoop onlosmakelijk vastgeklonken aan angst.

Ik zie het al, een kind van nog geen tweeënhalf, in een smokjurkje met pofmouwen, een luier misschien wel en een strik boven op de joodse haren, zo'n kind loopt eigengereid het onderduikhuis uit, de levensbedreigende openbaarheid van de straat op. Bedeesd maar beslist trekt het aan de uniformjas van de eerste de beste Duitse soldaat die langsmarcheert.

Neem mij ook mee, zegt het.

Maar het kind mocht de deur niet uit, het had niets te vertellen.

Het volwassen kind heeft nog altijd niets te vertellen.

Terugverlangen doe ik nu naar wachten, naar mogen wachten, de luxe van wachten. Liggend en trillend op de bank.

Terugverlangen naar ijsberen door de kamer. Een kamer waarin zich ergens nog wat hoop bevindt, al weet je niet waar – je kunt het misschien ruiken, je kunt jezelf voorhouden dat het zichtbaar is al kun je het niet aanwijzen. Of is het een geloven?

Terugverlangen naar wachten ondanks alles, ondanks de continue stroom onheilspellende berichten.

Zonder hoop slaat de wereld te pletter.

ღ

De dagen op de kalender en die in mijn agenda bewegen voort zoals is vastgelegd in de wereld van de wetenschap. Cijfers volgen elkaar op; de 2 volgt op de 1, de 3 op de 2, de 4 op de 3 enzovoort. Maandag volgt op zondag, dinsdag op maandag – probeer daar maar eens iets tussen te krijgen –, maar de trein waarin ik zit rijdt terug, rijdt precies de tegengestelde richting in en voert me langs gepasseerde en nooit meer te heroveren stations van verloren geluk uit een vorig leven, voert me langs alle stations, van ziekte zowel als van dood. Om het spannend te houden, of misschien wel als verrassing, blijft het afwachten welk perron de trein verkiest om stil te houden en uit te blazen. Vol nukken en grillen zit de trein, hij trekt zich niets aan van afspraken over tijd en ruimte. Soms mengt hij gebeurtenissen dooreen want ik weet bijvoorbeeld zeker dat ik het vliegtuig instapte en naar hem toe vloog nádat hij mij had gebeld en zich er, zorgzaam als hij was, eerst van had vergewist dat ik zat, op een stoel, of op de pianokruk, of op de bank, dat deed er niet toe, maar wel dat ik zat en niet staande de uitslag van de laatste onderzoeken zou hoeven aanhoren. Ik reisde naar hem toe ná het dagenlang gevreesde telefoontje waar de pedicure bij aanwezig was, op een dag in de zomer, de balkondeuren wijd open, de tuinen vol geheimzinnig gefluister, een radio die reggaemuziek speelde en een mannenstem die daar slepend achteraan zong. Waarna ik door de telefoon had geschreeuwd tegen Nily dat het niet kon, eenvoudig omdat ik hem had gebaard en zij vroeg: maar zal ik bij je komen, Hanna, ik neem een taxi, Hanna luister naar me, luister, we hebben samen in één bed geslapen, ik kom er nu aan, Hanna, en ik zei dat ik alleen wilde zijn maar ze was toch gekomen.

De dag nadat hij het mij had verteld, dat herinner ik me met zekerheid, zou hij worden opgenomen en de behandeling gestart, en ik reisde pas drie dagen later naar hem toe, eerder lukte het me niet een vliegticket te bemachtigen. Toch zie ik hem – ik hoef mijn ogen niet te sluiten – door het spiegelende raam van de aankomsthal naast zijn vrouw staan wachten – ik zie zijn bos krullen al van verre.

Trouwens, ik zie zijn krullen vaak, ook nu, ook na zijn dood, vooral na zijn dood. Hij kan zomaar komen aanlopen uit de verte, recht op mij af, achter een wandelwagen bijvoorbeeld en naast hem zijn vrouw en zoontje. Of hij is alleen, zijn houten aktetas – een cadeau van lang geleden – in zijn hand, of op de fiets, hij kan ineens verschijnen, waar dan ook, ergens in de stad, in een willekeurige straat, een straat waar ik hem het minst verwacht en ik blijf staan, adem stompt als een vuistslag in mijn maag en ik kijk, kijk, zonder blijdschap toe te durven laten – dan verandert hij al in een volslagen vreemde.

De trein dendert maar achteruit voort, voort. Dag en nacht. Herinneringen spiegelen in de met spiritus schoongewreven ruiten en bezetten mijn gedachten, leggen mij dwingend hun wil op. Knippen het licht aan in mijn hoofd en daar staat hij op de stoep voor mijn deur. Knippen het licht uit in mijn hoofd en dan weer aan. Opnieuw staat hij op de stoep voor mijn deur. Als golven die zich neerleggen op het strand en zich in dezelfde beweging terugtrekken voor ze weer komen aanrollen, zo trekt hij zich terug met het licht dat dooft en staat dan weer voor mijn deur in het aangeflitste licht, het is nog niet aan of het dooft alweer en weg is hij, en daar staat hij weer op de stoep voor mijn deur, in het licht. Ik moet hem zien vast te houden, hem voor mijn deur laten staan, naast hem zijn jonge vrouw, aan weerszijden hun twee kleine kinderen. Met al mijn inspanning lukt het me ten slotte het licht aan te houden, het te beletten uit te gaan en hen met zich mee te nemen – ik slaag erin ze te laten wachten voor de deur die ik met een touw van bovenaf heb opengetrokken, en op tijd de trappen af te stormen.

Op niet meer dan een tiental centimeter afstand van

mij vandaan staan ze te wachten. Ze zijn zojuist aangekomen voor een kort familiebezoek – het ziekenhuis dat voortaan de dienst zal uitmaken was zo goed mijn zoon enkele dagen respijt te geven.

Ik kijk naar hem, die mijn zoon is, die ik herken en niet herken, want niet alleen is hij kaal, ook zijn wimpers en wenkbrauwen ontbreken. Onbarmhartig naakt is zijn gezicht, dat zich wapent tegen de ontzetting in mijn ogen, een ontzetting die ik niet beheersen kan. Hij draagt geen pet, hij verhult niets. Wat zou ik te verbergen hebben, zo kijkt hij mij aan.

Een golf van misselijkheid dwingt me op de knieën, ik herstel me en net op tijd speel ik alsof dit mijn bedoeling was; mijn gezicht vlak voor de kindergezichtjes, die ik kus en kus, maar ik weet dat hij mij doorheeft.

Ik wist dat hij me doorhad, natuurlijk wist ik dat.

Ik sluit de gordijnen, doe de lamp aan boven de tafel en ontlaad mijn wanhoop in een zinloos ordenen van mijn kamer. Ik schud de kussens van de divan op, maak stapels van kranten en tijdschriften, herschik zijn foto's op de piano, orden lesboeken op mijn bureau. De berg condoleances laat ik liggen, er is geen beginnen aan. Planten krijgen water, of ze het nu nodig hebben of niet, zelfs de gordijnen schuif ik open om ook de planten op de vensterbank te kunnen begieten. En ik sluit ze opnieuw. Ik geef mezelf opdrachten, steeds nieuwe opdrachten. Nog voor ik klaar ben met de ene, formuleer ik een volgende. Langs de opdrachten, als reddingstouw gespannen voor de afgrond aan de ene kant en een steile, onneembare berghelling aan de andere, lukt het me de avonduren door te komen. Ik vul een vuilniszak, en terwijl ik de zak dichtbind, geef ik mezelf opdracht de vuilnis alvast op straat te zetten, dan hoeft Paula het morgenochtend niet te doen, en verzin een volgende opdracht: de afwasmachine uitruimen. Even later, terwijl ik de machine uitruim, weet ik al dat ik het kleed ga zuigen. Dat is hard nodig, houd ik mezelf voor, want zo ontmoedig ik de muizen die 's avonds tussen mijn voeten met het krantenpapier spelen en dan gaan grazen op het kleed onder de tafel. Pas wanneer ik mezelf bezig zie de ladder uit de meterkast te halen om me aan de volgende opdracht te wijden, spinnenwebben en stofnesten uit de hoeken van het plafond vegen, dringt tot me door wat ik aan het doen ben. Ik zet de ladder terug en ga de kamer in.

Het is zeven minuten voor elf 's avonds, zie ik op de klok op mijn bureau, en ik denk – alsof het ene iets te maken heeft met het andere – het is zeven minuten voor elf en hij is nog altijd dood. En ik denk: nu moet hij terugkomen, nu heeft het lang genoeg geduurd, nu moet hij weer bij ons terugkomen.

Languit op de bank, onder het blauwe dekentje dat ooit in zijn kinderledikant lag, gebruik ik een andere tactiek. Met gesloten ogen steek ik mijn hand in de mand met 'herinneringen van geluk', de mand met 'beelden van geluk', en haal er een lootje uit. Ik vouw het open, kijk eens aan, hier heb ik een zomer te pakken, een bloedhete zomerdag, en de jonge student aan mijn zijde die mijn zoon is, draagt de schapenwollen ijsmuts met bruine en beige patronen die ik voor hem meebracht uit Noorwegen, mijn eerste reis alleen na mijn scheiding.

Mijn zoon en ik zijn op weg naar een restaurant, opgewekt lopen we door de binnenstad. Het is druk. Over de smalle trottoirs slenteren luchtig geklede mensen en iedereen, werkelijk iedereen kijkt naar mijn zoon. Sommigen blijven zelfs staan en draaien zich om. Hij wordt belaagd door opdringerige en verbaasde gezichten maar lijkt het niet te merken of trekt zich er niets van aan. Dat is het, hij trekt zich er niets van aan en negeert de nieuwsgierige blikken want zie eens hoe zelfbewust en krachtig hij naast me loopt, en naast me het restaurant binnen stapt. Met de ijsmuts diep over zijn oren getrokken gaat hij zitten, pakt de kaart om op zijn gemak een keuze te maken uit de vele gerechten. En heel even weer voel ik de trots van toen.

Ik zal alle lootjes openen, één voor één zal ik ze openvouwen en aandachtig lezen. Misschien zet ik ze in een lijst, ja, dat lijkt me een goed idee, ik lijst ze in en hang ze op in mijn woonkamer en in mijn slaapkamer. Eens zullen de wanden – waar ik maar een plekje vrij kan maken – volhangen met 'beelden van geluk'. Een portretgalerij van woorden die altijd aanwezig is, een portretgalerij van mijn eigen taal die me niet, nooit kan worden afgenomen. En die alleen ik ken en begrijp. Mijn taal, bron van beelden, beelden door mijn eigen woorden opgeroepen, waar ik langsloop en hier een paar zinnen tot me neem en dan daar, en wellicht keert er door het lezen steeds meer gelukkig verleden terug, mooi verleden. Zelfs de tijd van zijn ziek zijn hoort daarbij. Omdat hij er toen nog was. Ik hem kon bellen. Zijn stem horen. En hem iets vragen. Ik kon hem zomaar iets vragen en naar zijn antwoord luisteren. Het was mogelijk nog iets voor hem te bedenken en uit te zoeken, iets waar hij blij mee zou zijn. Het te kopen. Ik kon het hem brengen. Hij was er nog om het aan te nemen, zijn handen waren er nog om het pakpapier los te scheuren.

De gelukkige beelden trek ik omhoog, ik verzamel ze en plak ze zorgvuldig over de pijnlijke herinneringen opdat die in vocht en donkerte zullen vergaan.

Dat van die ijsmuts wil ik aan Paula vertellen, zij moet het weten. Ik hoor haar de gang doorlopen, ze is vast naar een concert geweest, ze gaat vaak 's avonds naar concerten – dat hoort bij haar studie. Ik kom overeind van de bank, loop de kamer door en open de deur. Zal ik je iets leuks vertellen?

Ze stapt meteen binnen, zo is ze, en gaat op de bank zitten, ik neem de stoel tegenover haar.

Tussen ons, op een lage ronde tafel, staat een vaas met verdorde anemonen, in hun dood zijn ze verkleurd van helder rood naar paarszwart, en verstard op hun verstarde stelen. Sommige met als in de vlucht gevangen, nog altijd lieftallig geheven bloembladen. Andere hebben de bloembladen onder zich gevouwen en steken hun stijve zwarte meeldraden als een nieuwsgierig snuitje vooruit, of recht omhoog, dan lijken ze een omgekeerde parachute. Ze dansen rond zonder te bewegen – hun dood is in niets afschrikwekkend. Naast de anemonen liggen boeken, een voorzichtig laagje stuifmeel op de kaften verklikt dat ik moeilijk tot lezen kom.

Paula is bezig haar laarzen los te strikken, met beide handen sjort ze eraan, ze trekt ze uit en begint haar voeten te masseren. Au, kreunt ze, ik heb ze te klein gekocht, stom hè, uit pure ijdelheid, en ze lacht haar klaterende zangerslach mijn kamer in.

Mijn zoon heeft ook, begin ik, me er vaag van bewust dat dat 'ook' voor haar nergens op slaat maar ik heb haast en ga door met mijn verhaal, hij heeft ook toen hij in Turkije was met het meisje dat zijn vrouw zou worden – ergens in Istanbul, of in een andere stad – een bloempot op zijn hoofd gezet. Ik was er niet bij natuurlijk maar hij heeft me verteld hoe ze daar alletwee met een bloempot op hun kop door de stad liepen, gewoon omdat ze daar zin in hadden.

Terwijl ik vertel en Paula naar me luistert, komt iets van hun moed, iets van hun onverschrokkenheid mij sieren. Ik wil nog veel meer over hem vertellen en elke lettergreep proevend zeg ik: be-moe-di-gend. Zo kon hij naar je kijken, be-moe-di-gend. Ja, je kunt het wel, zeiden zijn ogen dan, je kunt het wel. Hij zei altijd 'Hanna', als klein jongetje al. Hij heeft me leren skiën, Paula. Lang geleden natuurlijk. Hij stond vlak bij me, een meter of twee onder me tegen de besneeuwde berghelling aan die hij al vele malen moeiteloos was afgeskied, samen met zijn vader, ik was toen nog getrouwd.

Ik wend mijn gezicht af, een gedachte komt me storen – zijn vader. Zijn vader, op tijd gestorven, híj hoeft dit niet mee te maken, hij niet, hij... ik haal diep adem, haal opnieuw diep adem.

Sorry, ik dacht even aan iets anders.

Paula knijpt haar ogen tot spleetjes.

Mijn zoon was teruggekomen – net wanneer ik mezelf weer enigszins in de hand heb, realiseer ik me hoe die tijd nu vederlicht en onwaarschijnlijk zorgeloos lijkt – teruggekomen om me te helpen met de afdaling, een scholier nog maar, een gymnasiast, kom, zei hij, je kunt het best. Zoals hij naar me keek, weet je, alleen al zoals hij naar me keek. Meter voor meter praatte hij me de steile helling af – ik had daar staan janken van angst – en een andere keer praatte hij me achter het stuur van de auto – zonder me een adempauze te gunnen ga ik door, zolang ik over hem vertel is hij bij me, leeft hij. We rijden door de stad, hij en ik, plotseling remt hij af en stuurt de auto naar de kant. Waarom stop je hier? vraag ik hem. Ik begrijp er niets van, we waren toch op weg naar – ik herinner me niet meer waarheen we op weg waren, in elk geval moesten we daar niet zijn –, maar hij is al uitgestapt, loopt om de auto heen, opent mijn portier en wijst naar de bestuurdersplaats. Nu rijd jij. Ik? Ja, jij, hij knikt, jij rijdt, je hebt niet voor niets een rijbewijs. Zijn knikken is een bevel, zachtmoedig, maar een bevel. Jij rijdt nu, en ik schuif naar de stoel bij het stuur.

Er zat niets anders op, Paula.

Haar ogen verrassen me altijd weer, zo licht zijn ze, alsof haar huid donker zou zijn en daardoor het licht in haar ogen accentueert, maar haar huid is blank en haar wenkbrauwen zijn fijne donkerblonde streepjes. Nu weet ik het, het licht in haar ogen doet me denken aan het hier en daar in het verlaten Noorse landschap onder de sombere hemel oplichten van een berghelling, alsof diep verscholen in de aarde geheime vuren gloeien. Ik haast me terug naar mijn verhaal.

Mijn zoon zat al naast me, de motor draaide nog en

waarschijnlijk omdat ik iets ongewoons hoorde, boog ik mijn hoofd en wat zag ik? Mijn knieën klapperden tegen elkaar. Van angst.

Mij krijg je ook niet achter het stuur – met beide handen masseert Paula haar voeten, beurtelings de rechter en de linker – voor geen goud krijg je mij achter het stuur, al gaf mijn vader me voor mijn verjaardag een afgedankte auto uit zijn rijschool, want daar is-ie toe in staat. Ik haat ze, auto's, zegt ze klaaglijk en haar handen wachten even met masseren – ik haat ze, hun herrie verziekt de aarde. En ze gaat door met masseren.

Ze lijkt van elastiek, zo soepel zijn de bewegingen van haar slangachtige lichaam, als ze wil zou ze met gemak haar voeten in haar nek kunnen leggen. Ook haar gezicht beweegt. Voortdurend verandert het van uitdrukking, het kan niet stilstaan, niets verborgen houden. Zoals ze kijkt wanneer ze over haar ouders praat. Als een marionet zit ze met draden vast aan haar gedachten en aan de wisselingen van haar gevoel. Maar wanneer ze studeert is haar blik naar binnen gekeerd, geabsorbeerd door muziek, en misschien weet zij wel dat ik graag naar haar zingen luister, misschien – dat realiseer ik me pas nu – laat ze daarom de deur van haar kamer openstaan.

Die rotlaarzen – haar ranke hals rekt zich, lijkt het licht in haar ogen dichter naar me toe te willen dragen – die rotlaarzen, ik kan ze niet eens meer ruilen want ik heb er al mee over straat gelopen en dat zie je meteen aan de zolen, ik heb mezelf voor de gek zitten houden in die winkel, vindt u ook niet dat mijn voeten wel erg groot zijn? Vertel me nog iets over uw zoon.

Maar ik zwijg. Over wat ik nu door het raam van de trein zie, kan ik niet praten. Kan ik niet vertellen. Ook niet aan Nily. Nooit zal ik daarover kunnen praten. De beelden praten zelf, ze vullen alle ramen van de trein, die voortdendert terug de tijd in, terug, waar ik ook kijk. Of ik nu opsta en een andere coupé zoek, met andere ramen en alsjeblieft een ander uitzicht, ik blijf zien waarover ik niet praten kan.

Nog dertien dagen tot zijn sterfdag. Morgen nog twaalf. Nog elf overmorgen. Daarna nog tien. De dagen bewegen trager dan ooit. Hun uren en seconden lijken aan ruwe touwen te worden voortgezeuld door dikke lagen drijfzand.

Zal ik dan maar? aarzelt Paula. Ik kijk op en zij vat moed. Weet u dat ik mee mag doen met de leerlingenavond, ik ben de enige van mijn jaar, de enige die mee mag doen.

De te krappe laarzen heeft ze met de veters aan elkaar geknoopt, de verknoopte veter over haar gebogen wijsvinger geschoven en ze wiebelt de laarzen heen en weer als waren het weegschalen, als was zij vrouwe Justitia.

♡

Paula is de kamer nog niet uit of de trein remt af, komt sissend tot stilstand en laat me uitstappen in het land waar hij woonde, in de stad waar hij woonde, in zijn huis en ik sta onder aan de trap. Het is winter. Het is avond. Achter me zijn de woonkamers, voor me de treden die me verbinden met het einde van het leven. Daar sta ik, en ik kijk hoe de treden omhoog voeren, naar boven. En boven ligt hij dood.

De trapleuning brandt in mijn hand, brandt mijn hand vast aan de ronde houten leuning, mijn voeten willen wel naar boven maar de leuning bijt zich vast in mijn hand en zo zwaar zijn mijn voeten dat ik ze niet kan optillen, niet eens bewegen kan ik ze.

Een loodlijn lijkt uit de aarde omhooggeschoten, heeft zich een weg door mijn lichaam geboord, haar weerhaken uitgeslagen en houdt mij waar ik ben: onder aan zijn trap, in zijn huis.

Ik hunker naar boven, waar ik niet wil zijn om te zien wat ik niet wil zien, om te weten wat ik niet wil weten en wat nooit had mogen gebeuren, nooit, want toen hij lag te sterven zou hij altijd blijven sterven – sterven was ondraaglijk, maar daar zou het bij blijven. De tijd zou mededogen krijgen en z'n adem inhouden, de tijd zou bewegingloos neerhurken ergens in een vergeten hoek, voor altijd onvindbaar. En de dood zou verstarren, zou onmogelijk bij mijn zoon kunnen komen en hem vastgrijpen, al stond die dood op luttele centimeters afstand.

Mijn zoon zou blijven sterven en zijn vrouw zou naast hem blijven liggen op het bed en hem verwarmen met haar lichaam, met haar rustgevende aanwezigheid, en zijn kinderen zouden blijven spelen in de aangrenzende kamers en hij zou naar hun kleine stemmen luisteren en ook daarin rust vinden. Zolang ik maar beneden bleef en niet naar boven ging en niet met mijn eigen ogen zou zien hoe zij daar zat op de rand van het bed waarop zijn lichaam lag – nog steeds op de linkerzij –, wanneer ik niet zou zien hoe zijn vrouw op de rand van het bed treurde met de twee kinderen tegen zich aan gedrukt; een wenende madonna met haar wenende kinderen in de armen – zolang ik beneden bleef, of niet uit het raam van de trein keek, mijn ogen dichtkneep, of de trapleuning in mijn hand liet branden, mij liet vastbranden, de loodlijn haar gang liet gaan zodat de weerhaken mij voor altijd in de grond zouden verankeren, op de houten vloer, onder aan zijn trap – zou het niet waar zijn. Zou het niet waar zijn.

Nog negen dagen.

Negen dagen nog maar. Nog negen. 's Nachts planeer ik op dromen de nacht door en 's morgens laat word ik uitgeput wakker. In steeds terugkerende dromen versta ik mijn schoondochter perfect en hoeven wij onze toevlucht niet meer te nemen tot het Engels, dat we beiden matig spreken, we verstaan elkaar ook zo wel, ook mijn kleinkinderen en ik kunnen moeiteloos samen babbelen maar ineens, midden in een mild en aangenaam gesprek, moet ik toezien hoe zij alle drie worden opgetild en weggedragen en ook ik word opgetild en weggedragen, maar in precies de tegengestelde richting, zo drijven we uiteen en ik kan niets doen, ik kan niet eens meer schreeuwen dat zij me niet ook nog mogen worden afgenomen, niet zij ook, en dan word ik wakker en val weer in slaap en droom dat hij leeft. Hij ligt in bed. Het gaat hem slecht, diep onder de dekens ligt hij, zijn rug naar mij toegekeerd. Niet eens zijn hoofd kan ik zien, ik kan het alleen raden, en de kamer waarin hij ligt is eveneens zo vreemd en ver, het zal wel een ziekenhuiskamer zijn of iets anders waar ik zo gauw niet op kan komen. Hij en ik zijn door een navelstreng met elkaar verbonden. Zijn ziekte verbindt ons. Stroperig en zwaar maar gestaag en niet tegen te houden stroomt zijn doodzieke lichaamsvocht door de streng naar mij toe, naar mijn lichaam, dan in mijn lichaam. Maar er is slechts eenrichtingsverkeer mogelijk. Het leven zelf dat ik hem met al mijn krachten toestuur, wordt tegengehouden en teruggezonden. Al bij de ingang van de navelstreng wordt het leven onverbiddelijk geweigerd.

Hij ligt onder de deken, bijna bewegingloos, en ik kan hem niet bereiken, ik kan hem niet bereiken, en ik kan hem niet voeden zoals ik hem ooit voedde toen ik hem in me droeg en daarna, aan mijn borst, zonder overgang staan we op de boulevard dicht bij zijn huis, we kijken uit over het strand en de heuvels aan weerszijden die hun huid van gras en struiken hebben afgestroopt en als kale rotsen diep de zee binnendringen. De hemel is melkblauw, aan de zeelijn graven zijn kinderen een geul. Niet ver van de kinderen zit zijn vrouw in het zand. Ze kijkt om en glimlacht naar ons, ze is verheugd ons samen te zien, de toekomst ligt weer open. Hij is genezen. Hij heeft het gehaald, er is een wonder geschiedt – zijn zieke lichaam gleed de enige en laatste kans binnen die het geboden werd.

Hij werd opnieuw geboren.

Waarom, vraag ik, ik kijk hem aan maar weet niet hoe ik verder moet, ik ben inmiddels zo gewend elk woord, elk gebaar te toetsen, te wegen, te betwijfelen, ik weet niet waar ik goed aan doe, ik weet niet waar ik slecht aan doe, ik wil hem sparen en hij wil mij sparen, zo komen we niet verder. Maar hij knikt bemoedigend, zijn ogen staan geduldig en lief.

Zo keek hij naar me in het ziekenhuis tijdens zijn tweede opname, toen ik wegliep, na het bezoek aan hem waarin hij praatte over zijn grootmoeder, mijn moeder, en hoe de dood hen beiden achtervolgde. Hij draaide zijn hoofd dat diep in het kussen rustte zo dat hij me kon blijven zien, hij bleef kijken, zag me op de deur toelopen, zag me haperen op de drempel, zag me de drempel overgaan, toch maar de drempel overgaan, de gang in, de hal in – hij, almaar omkijkend naar mij met in zijn blik een oneindig mededogen.

Waarom, wil ik hem vragen, waarom? Of hebben we alles al gezegd? En ik weet dat we alles al hebben gezegd, maar nu je beter bent, vraag ik, mag ik je dan nu vertellen hoe het voor mij was en wil je mij nu vertellen hoe het voor jou…

Hij staat al niet meer naast me, hij loopt het strand op, hij loopt nog langzaam, wat onvast op zijn benen maar al beter dan vorige week, en veel beter dan de week daarvoor.

Zodra ik wakker word, vallen de dromen dood neer en ik schiet overeind in het donker. De cijferplaat van de wekkerradio op het nachtkastje werpt een trage bundel geelbruin licht voor zich uit en legt die op de deken naast me. Dat is het: ik ben overgeslagen. Het was mijn beurt om te sterven, niet de zijne. Er klopt iets helemaal niet – ik was eerst. Zijn ze dat vergeten soms, hebben ze me niet geregistreerd in het boek van het leven? Ben ik overgeslagen, voorgoed overgeslagen? Besta ik dus niet? Al zou ik staan schreeuwen op elke straathoek: hier ben ik, hier ben ik, vergeet me niet, neem me mee, in godsnaam neem me mee – ze zullen me overslaan en ik ben veroordeeld tot eeuwig leven.

ღ

Nog zeven dagen.

Ik zou de studente zang een verhaal willen vertellen, een niet zo heel bijzonder verhaal, maar misschien heeft ze er toch wat aan. Het verhaal gaat zo:

een man en een vrouw, eigenlijk nog een jongen en een meisje, gaan trouwen – een feestelijk besluit waarbij feestelijke kleding hoort. Welgemoed kopen de bruid en haar moeder in de binnenstad een degelijke donkerrode stof, met gouddraad doorweven. Van die stof zal de naaister, een vriendin van de moeder van de bruid, binnen een paar dagen een eenvoudige trouwjurk maken met een strak lijfje en een geplooide rok tot net boven de knie. Nu nog een paar zwarte, heel hoge hakken, en klaar is de bruid.

Op de gewijde dag borstelt zij haar lange donkerbruine haar tot het glanst, ze glijdt in de jurk, haar moeder sluit de ritssluiting op de rug en huilt geruisloos en onopgemerkt omdat zij nooit had gedacht dit te mogen meemaken.

De bruid is gereed voor de plechtigheid.

In de auto, op schoot bij haar bruidegom, naast zijn

pleegvader, die chauffeert, rijdt ze in de groene lelijke eend naar het stadhuis. Achterin zit haar moeder, naast haar moeder de pleegmoeder van de bruidegom.

De bruidegom draagt een donker pak, een wit overhemd en een das. De foto's van die gelukkige dag zullen later de indruk wekken dat de jongen de toestand volledig meester was, maar bij nadere bestudering is in zijn blik ook onderdrukte verwarring zichtbaar.

Alle familieleden, voor zover in leven, zijn op de bruiloft aanwezig.

Daar de moeder van de bruid geen cent bezit, betaalt een rijke oom de lunch die direct na de huwelijksvoltrekking op het stadhuis genoten zal worden.

In het restaurant, aan de tafel van het bruidspaar, zit de diep ontroerde moeder naast de rijke oom met zijn gezin, daartegenover de pleegouders van de bruidegom. Deze tafel, de tafel van het bruidspaar, wordt royaal voorzien van heerlijkheden. De overige tafels moeten het met minder stellen en hoe verder van het middelpunt van die dag, hoe eenvoudiger het menu. De tafel tegen de achterwand van het restaurant waar de meeste jongelui zitten, moet zich op het inmiddels met kaarsvet volgekliederde witte tafelkleed en tussen de wijnglazen – halfvol of al leeg – tevredenstellen met een toevloed van gevulde eieren die onafgebroken op ovalen schalen wordt aangedragen.

De sfeer is goed, de toekomst wordt vol vertrouwen tegemoet gezien.

Op hun rug, de rug van de bruid en die van de bruidegom, al wel voelbaar maar nog niet herkend – je zou kunnen spreken van niet beter weten – draagt het bruidspaar elk een *rugzak vol verleden uit de tijd van 'wootwee'* – de Tweede Wereldoorlog – zoals ze dat grappend noemen bij de bruid thuis. In hun (alleen voor ingewijden zichtbare) rugzak dragen ze vermoorde vaders, een verstoorde jeugd, jaren doorgebracht bij vreemden, jaren zonder ouders. De rugzak van de bruidegom bevat bovendien nog zijn in de oorlog vermoorde moeder.

Het is duidelijk dat ze veel gemeen hebben die twee, bruid en bruidegom, ze zullen elkaar begrijpen, elkaar zonder uitleg en als vanzelf aanvaarden, zich veilig voelen bij elkaar en elkaar troosten met begrip. Zo ongeveer zijn de gedachten van de bruid en zonder aarzeling legt ze die dag dan ook haar leven in handen van hun samenzijn.

Wanneer de zwangerschap zich aandient, zijn er al twee jaren boordevol teleurstellingen voorbijgegaan. Maar de vreugde om het nieuwe leven dat groeit in haar lichaam, fluistert duizenden beloften. Vanaf nú, denkt de jonge vrouw, zal ik nooit meer alleen zijn en die gedachte is wonderbaarlijk mooi in haar eenvoud, is een sprookje met een vanzelfsprekend gelukkige toekomst.

Het speelt zich af in het Vondelpark, niet ver van het Filmmuseum met zijn kleurige terrassen in de eerste frisse zonneschijn. Zojuist heeft de arts haar zwangerschap bevestigd en zij zweeft naar huis langs de al bezette tafeltjes waar gelukkige mensen in opengeslagen winterjassen genieten van de zon. Het park, de lanen, de bomen, de vijvers, alles is mooier dan het ooit was. Het is maart, de zon betovert de bemoste boomstammen met een gouden waas, de hemel is blauw met hier en daar een kleine witte wollen wolk. De wolken zijn blij voor haar, fluisteren ze terwijl ze op hun gemak hoog boven haar voorbijpeddelen.

Thuis, in de woonkamer, zet ze een stoel naast het raam en gaat in het zonlicht zitten – door het glas heen voelt het zonlicht zomers warm. Ze zit heel stil op de stoel, en heel rechtop, ze hoeft alleen maar te zijn, meer niet, er wordt niets meer van haar gevraagd. Het nieuwe leven groeit in haar, ze geeft leven terug aan een wereld van ontnomen levens.

Gedurende de maanden van de zwangerschap zal ze veel op de stoel in de kamer zitten, stil, handen om haar buik.

Ook haar man en haar moeder verheugen zich op het kind dat komen gaat.

De bevalling duurt lang, is pijnlijk, er zijn complicaties. Het is, denkt ze, zoals beschreven staat in de bijbel; in smarte zult ge kinderen baren. Wanneer de baby in haar armen wordt gelegd is ze juist blij met die zojuist doorstane pijnen, of misschien niet zozeer blij als wel voldaan – zo moet het zijn. Het wonder van het kind aan haar borst is er nog zoeter door.

Ze ligt in een kleine zaal samen met andere jonge moeders. De bedden staan dicht opeen, drie aan de ene, drie aan de andere kant, zo kunnen de jonge vrouwen elkaar goed zien en hebben ze wat gezelligheid aan elkaar gedurende de lange uren waarin de baby's naar een aparte zaal zijn gebracht. Er hangen geen gordijnen die tussen de bedden dichtgetrokken kunnen worden. Maar zij is zich daar de eerste dagen niet van bewust – de omgeving is voor haar in totale duisternis gehuld, zelfs bezoek van haar man en van haar moeder brengt daarin geen verandering. Alleen het kind en zij bestaan, alleen zij samen, en dat is zo nieuw, zo overweldigend, dat niets verder tot haar doordringt dan zijn kleine bewegende aanwezigheid in haar armen wanneer zij hem voedt en ze fluistert de woorden: mijn zoon, mijn zoon, mijn zoon en proeft verrukt de nieuwe klanken.

Er is één moment van waarheid. Het is er voor ze het kan tegenhouden, zelfs nog voor ze zich kan wapenen, ze wordt er volkomen door overvallen: dat hij eens zal sterven. Dat zij hem dat aandoet door hem geboren te laten worden. Dat zij daaraan, als het zover is, schuldig zal zijn.

Later, als hij eindexamen heeft gedaan, op een middag – ze zijn samen, ze zijn met z'n tweeën, zijn vader is op kantoor aan het werk en zal pas laat thuiskomen in verband met een directievergadering – staat ze op van haar stoel, gaat naar boven, naar haar bureau, dat nog altijd voorlopig in de ouderlijke slaapkamer staat, ze opent de bovenste lade en haalt daaruit een vel papier. Het is een vloeidun, lichtblauw gekleurd blocnotevel, met daarop een handgeschreven minutieus verslag van de bevalling. De woorden zijn maanden na de bevalling door haar geschreven. Ze had aan niets anders kunnen denken dan aan het kind aan wie zij het leven schonk, ze had over niets anders kunnen praten en op een dag beschreef ze het wonder met donkerblauwe inkt en in een regelmatig, haast plechtig handschrift.

Ze loopt de trap af, ze loopt de woonkamer binnen en

geeft het hem – het is hun verbond, hun geheim, de versmelting waaraan langzaam maar zeker, met het klimmen der jaren, met zijn ouder worden, volwassen worden, een einde kwam – zoals de wet van het leven gebiedt.

Even beweegt het vloeidunne vel tussen hen in alsof het door de wind wordt beroerd – zij heeft het nog net vast, en hij heeft het nog net niet aangevat.

Dit is het verhaal, dit verhaal wil ik Paula vertellen.

Maar nog niet.

Ik zal een goed moment afwachten, als ik geduld opbreng komt dat vanzelf, het gaat erom het enige juiste moment te herkennen en het niet voorbij te laten gaan.

Misschien heeft ze mijn verhaal niet nodig. Wat kan ik doen? Moet elk mens eerst zijn vingers schroeien en dan zijn hart, voor hij gelooft dat vuur heet is? Waarom kunnen we niet voorkomen wat we zo graag willen voorkomen? Waarom wens ik dat het meisje dat mijn zolderkamer huurt geen pijn zal hebben en wil ik dat zij geen verkeerde keuzes maakt, wens ik dat ze trouwt met de man die haar kan laten zijn wie ze is? Waarom martel ik me met schuldvragen? Zou mijn kind niet zo jong zijn gestorven wanneer ik die ansichtkaarten niet had gekocht – die van Munch en Sir Luke Fildes – en boven mijn bureau had gehangen? Zou hij nog in leven zijn en gezond en sterk wanneer de gedachte aan de dood, aan zijn dood, me niet had beslopen, toen, met hem, mijn pasgeborene, in mijn armen?

Bezoek in de middag.

Van bovenaf trek ik met het touw de benedendeur open, ik ga er onmiddellijk van uit dat Paula haar sleutels is vergeten en verwacht haar lichte, snelle voetstappen en haar stem, die het trappenhuis vult met zonlicht: stom hè, vergeten, maar ik wist natuurlijk wel dat u thuis was. Het is Mariëlla, Marella zoals ze wordt genoemd, een collega van school. Met loden stap komt ze de trappen op en onmiddellijk herken ik haar schorre, hartelijke stem. Hanna kind, roept ze uit de diepte, wat gezellig, ik moest je even een zoen brengen. Wanneer ze aan de derde trap begint, zie ik dat haar naar mij opgeheven gezicht rood is van inspanning en dat haar hand feestelijk met een gele ruiker zwaait. Gezellig, gezellig meid, om je weer te zien en... meer hoor ik niet, want in mij resoneren de woorden: weet wel dat dit een huis is van rouw, en ik denk dit zo hevig dat ik mijn lippen samendruk uit angst dat de woorden me zullen ontsnappen.

Ik neem het boeket aan en zij deint langs me heen de gang door, even maar, sust ze, ik blijf maar even, ik moest je een zoen komen brengen, van ons allemaal

– ze wrijft zich vergenoegd de handen – als je d'r op uit was geweest, meid, had ik de bloemen weer meegenomen, dan waren ze voor mij, de bloemen, het is wel koud buiten maar de zon schijnt heerlijk en ik dacht bij mezelf: die is vast lekker aan de wandel.

In stilte worstel ik, wijs mezelf terecht, is het niet juist buitengewoon vriendelijk, is het niet attent van haar, zij bedoelt het goed, iedereen bedoelt het goed.

Al lopend heeft Marella haar jas uitgetrokken en ze hangt die nu aan de kapstok. Ik sta naar haar massieve rug te kijken met de bloemen in mijn armen. Ziezo, tevreden draait ze zich naar me toe, buigt het hoofd, strijkt met gespreide vingers aandachtig langs haar trui, die wijd over haar lange rok valt, en richt zich weer op. Nou, Hanna, meid, we missen je wel hoor, op school.

In de huiskamer zitten we tegenover elkaar. Ik probeer mijn paniek te onderdrukken en kijk strak naar de vloer, waarover lichtspiralen kringelen die de winterzon door de luxaflex naar binnen schiet, en herinner mezelf eraan dat Marella 'de moeder' is op school, het moederdier, een onuitputtelijke bron van aandacht en raad, zowel voor de allochtone leerlingen als voor ons docenten, en terwijl ik bezig blijf mezelf te kalmeren neem ik waar hoe zij diep ademhaalt, hoe haar borsten opgolven en dat ook over haar borsten koude spiralen zonlicht glijden. Dan vraagt ze de vraag aller vragen:

Gaat het goed met je, Hanna?

Haar vertrouw ik. Niet zoals ik Nily vertrouw, maar toch, ik vertrouw haar. Iedereen vertrouwt Marella. Ik antwoord niet meteen, ik wacht even en dan, tot mijn verrassing, voel ik een bijna uitgelaten vrolijkheid over mijn gezicht spelen en mijn stem lacht: maar natúúrlijk gaat het níét goed met me.

Marella tegenover me, op de bank. Ze vult de bank met haar borsten en heupen en dijen en daarboven beeft de rozig rode erotische glimlach van haar lippen. Haar ronde neus kijkt ineens verdwaasd op tussen de weelde van wangen.

Misschien had ze dit niet verwacht – mijn lach, mijn antwoordlach.

Haar ogen worden vlijmscherp, haar lichaam komt in actie, het richt zich op, beweegt zich, hoewel het blijft waar het is, naar mij over – een vleselijke boom die groeit en uitdijt, en dan hoor ik haar zeggen: o, en mág het soms niet goed gaan met Hanna?

Als vuurwerk spatten de woorden uiteen in mijn kamer, alles raakt overbelicht, gedurende enkele seconden zie ik niets meer, haal ik geen adem meer. Wanneer ik terugval in mijn stoel en weer kan zien en alles op zijn plek lijkt teruggekeerd, begin ik me radeloos en als een in het nauw gedreven kind te verdedigen. Het mag wél goed gaan met me, stamel ik, het mag zeker wel goed gaan, ik zou graag willen dat het... ik geniet van Paula's zingen, ik heb Nily, ze is er altijd voor mij, we hebben vroeger in één bed geslapen en ik wandel door de stad, dat vind ik fijn, meestal vind ik dat fijn en ik begin ook weer te lezen en mijn kleinkinderen, ze geven me vleugels en mijn schoondochter ook en... Ik bedwing mijn woordenvloed, sluit mijn huid, sluit voorgoed mijn huid voor haar, dwing me mijn collega aan te kijken, haar in het gezicht te zien, recht in haar gezicht, recht in het ronde bloeiende vlees, in haar verbaasde, gretige ogen, en ik denk: jij moet hier weg, maar ik vraag: zal ik wat te drinken voor je maken? Thee? Ik ben al opgestaan, ik ben al bij de deur, draai me naar haar toe.

Ze vraagt: heb ik je gekwetst?

Dat waardeer ik en ik zeg haar dat ook. Daarbij had het moeten blijven. Maar zij geeft weerwoord: het was maar een grap, hoor, Hanna, ik keerde je antwoord gewoon om. Als grap.

In de keuken maak ik thee, leg haar gele chrysanten op het aanrecht, vul een vaas met water, snijd de stelen af, steel voor steel, en rangschik de bloemen. Bloem voor bloem. Ik wikkel de afgevallen bladeren en afgesneden steeltjes samen met het kapotte elastiekje in het pakpapier en gooi alles in de afvalemmer. Op het aanrecht ligt het opengescheurde zakje nog waarin voeding zat voor de bloemen, ook het zakje gooi ik in de emmer. Als ik de klep open, zie ik hoe enkele bladeren proberen zich uit het pakpapier te bevrijden en ik verbeeld me dat ze zich vertwijfeld richten naar het licht dat in de emmer plenst.

Met een klap sla ik het deksel neer.

Ik blijf te lang weg, ik weet dat ik te lang wegblijf, haar te lang alleen laat in mijn kamer. Ik weet dat Marella mijn zoveelste slachtoffer is, het zoveelste slachtoffer van mijn kwetsbaarheid en mijn niet weten hoe me te gedragen in dit beschadigde bestaan.

Ik zet de schaal suikerklontjes op het blad, zoek in de kast naar koekjes, vind een reep bittere chocola, ruk de wikkel eraf, breek de reep in blokken, breek die weer doormidden en breek ook die doormidden – tot het me niet meer lukt en de brokken onder mijn vingers smelten. Met kleverige chocoladehanden laat ik kokend water uit de waterketel in de theepot stromen. Nu kun je wel naar binnen, praat ik mezelf moed in terwijl ik de theepot op het blad zet, nu lukt het je wel, nu lukt het je vast wel.

In de op hol geslagen duisternis in mijn lichaam hangt een ijle glinsterende ketting, geregen van lichtgevende tranen. Ontstaan aan de binnenkant van mijn oogbol reikt die tot in mijn gezwollen keel.

Nog vier dagen.

De trein weigert te vertrekken, alsof hij alle tijd van de wereld heeft, blijft hij staan op het station, ergens in een verre uithoek. Zodra ik nader, sluit hij ostentatief zijn deuren, ook wanneer ik doe alsof ik helemaal niet van plan ben in te stappen; instappen is het laatste waaraan ik denk. Fluitend kijk ik een andere kant op alsof ik iets bijzonders zie en veins iemand, iemand naar wie ik op zoek ben, te herkennen in de menigte op het perron. Een menigte die in elke trein mag stappen en niet wordt tegengehouden zoals ik. Wat ik ook verzin om de trein te slim af te zijn en van hier te kunnen wegvluchten, hij sluit zijn deuren en er zit voor mij niets anders op dan terug te keren naar die avond.

Het regende, het regende zo hard dat mijn jas binnen enkele minuten doorweekt was en zwaar van het hemelwater, in slierten dropen mijn haren langs mijn gezicht en mijn handen waren verstijfd en wit, mijn nagels blauw. Ik zag het. Ik voelde niets.

Ik rende, ik moest terug, ik moest wel terug.

We horen de kraaien de trap oplopen. Zonder elkaar aan te kijken luisteren we naar de traag naderbij komende voetstappen over de treden van de trap en toch, als de mannen, een jonge en een oudere, in de deuropening verschijnen, verstijven we. Met hun brede, in het zwart geklede mannenlijven vullen de kraaien de deuropening, ze sluiten de sterfkamer hermetisch af alsof ze ons zo willen wijzen op onze levenslange veroordeling. Mijn god, hoe is het mogelijk, ze lijken onaangedaan door wat ze hier aantreffen, hun gelaatstrekken veranderen niet, verbleken niet eens, en ik heb dat nog niet gedacht of ze stappen de kamer binnen met ferm uitgestoken handen en begroeten de jonge weduwe met een professionele handdruk en een professioneel uitgesproken medeleven en dan komen ze op mij af en ik voel hun klamme handen beurtelings mijn hand drukken. De stalen koffers worden neergezet, attributen die me even doen denken aan de koffer van de pedicure in een zomer lang geleden toen het bericht kwam van zijn ziekte. Stalen koffers zetten de kraaien neer, de oudere en de jonge, maar deze koffers bedreigen ons met hun kil glimmende aanwezigheid en het is er ook niet maar één, het zijn er meer. Vijandige stalen koffers op de slaapkamervloer waar nu een nieuwsgierige witte poes omheen snuffelt.

De mannen dragen maskers, waarschijnlijk hebben ze die zojuist opgezet, een paar minuten geleden, op straat voor de deur in de regen onder een enorme zwarte paraplu – want hoe is het anders mogelijk dat hun haren niet nat zijn en hun zwarte mantels niet doorweekt? Ze hebben de maskers opgezet nog voor hun professionele vinger op de bel drukte naast het bordje waar met zwarte letters op een witte ondergrond de naam van mijn zoon te lezen staat.

En daar nog altijd te lezen staat.

En ooit zal worden verwijderd.

Zoals alles eens zal worden verwijderd, waar maken we ons eigenlijk druk om?

Een van hen had aangebeld nadat beiden het masker voor hun gezicht hadden gebonden, en alles wat ze hierboven aantreffen: de vertraagd bewegende gordijnen in de winterwind, lakens, een bed, een boven het bed bevestigd blauw gekleurd zakje met daarin morfine waaraan een nu nutteloze slang bungelt, en een kind en nog een kind, de jonge weduwe op de rand van het bed, het hoofd diep gebogen – en de moeder van de dode, achteruitgedeinsd en met de armen wijd in een hoek alsof ze zich de muur in wil drukken, en op het bed het achtergelaten lichaam van haar zoon – waar ben je, heeft de moeder zichzelf horen vragen, waar ben je nu, zeg het me, zeg me waarheen –, dat alles, dat hele tafereel ketst af op hun namaakhuid.

De twee in het zwart, het masker over hun gezicht getrokken, even strak en even kleurloos als de vliesdunne rubberen handschoenen die ze nu over hun vingers schuiven – de jonge en de oudere – ze doen hun werk, een mooi werk, een nuttig werk. Wat zouden wij moeten zonder hen? Ze geven aanwijzingen, rustig, beheerst, ze sturen de kinderen de kamer uit. Of zijn de kinderen zelf de kamer al uitgegaan en de trap afgelopen naar de woonkamer waar de familie van hun moeder wacht?

Geduldig laten de kraaien de jonge vrouw zien hoe zij haar man…

♡

In mijn ochtendjas stond ik af te wassen, uit de kraan stroomde water over de borden in de gootsteen, ik keek hoe het kraanwater uiteenspatte op het aardewerk en in een veelvoud van kleine nijvere rivieren een weg zocht naar de afvoer. Hoelang al stroomde het water, hoelang stond ik al zo? Toch, op de een of andere manier drong het tot me door dat ze binnenkwam, hoewel ze geruisloos op blote voeten liep zoals ik zag toen ik me omdraaide – op blote voeten en in een veel te wijd en vaal T-shirt.

Uit de borstel in mijn hand drupt water op de granieten vloer, vormt een plasje voor mijn voeten en ik leg de borstel terug. Zo word je ziek, Paula, wacht, er staan slippers onder de kapstok, die kun je nemen. Zonder acht te slaan op mijn bezorgdheid schuift ze een stoel naar de keukentafel, gaat zitten en kijkt me aan.

Als u nou bij me was geweest had u me kunnen waarschuwen, trouwens, en dat heb ik al zo vaak gezegd, u kunt best een paar nieuwe laarzen gebruiken. Wat moet ik nou aan voor de leerlingenuitvoering, mijn ouwe zeker, afgetrapte laarzen onder een rok, dat is toch geen gezicht en van mijn lerares móét ik een rok aan, een rok past helemaal niet bij mij, belachelijk. Zal ik die nieuwe dan toch maar... dan zijn ze tenminste nog ergens goed voor.

Ik knik dat dat een goed idee is, en ben de keuken al uit. Met de slippers kom ik terug.

Ze glijdt van de stoel – u heeft het altijd maar koud en dan moet ik iets aan mijn voeten –, ze schuift haar smalle bleke voeten met de lange, iets uitstaande tenen in de slippers – het is hier bloedheet, echt waar, geloof me. Ze kruipt weer op haar stoel.

Met mijn rug tegen het aanrecht – de kraan heb ik dichtgedraaid – sta ik naar haar te kijken. Aan mijn keukentafel zit ze met haar blote benen onder zich getrokken. Armen eromheen. Knieën bleek en knokig boven het tafelblad uit. Haar kin rust op haar knieën.

Zo kijkt ze me aan.

Het licht in haar ogen houdt me vast en ik moet er wel naar kijken, ik moet erín kijken terwijl ik naar haar verongelijkte meisjespraat luister.

Ze is streng, mijn zanglerares, van haar moeten wij met geheven hoofd het podium opkomen ook al sterven we van de zenuwen, stel je voor, die woorden gebruikt ze; fier geheven hoofd, nou ja, mijn lerares is best wel lief en ze is veel in het buitenland en in het buitenland bewegen jonge mensen zich van nature beter dan hier, volgens haar. Houten klazen vindt ze ons, ze heeft zich ten doel gesteld ons te leren hoe we het podium op moeten komen, hoe we moeten bewegen en buigen, hoe we voor de vleugel... ze springt op, in de haast schopt ze de slippers uit. Vlak voor me staat ze, haar blote voeten met de dunne eigenzinnige tenen iets uit elkaar als om te aarden, om houvast te zoeken op de planken vloer van een toekomstig podium. Ze schudt haar magere lichaam los, alles schudt aan haar; schouders, armen, buik, benen – adem moet steun hebben, doceert ze en ze vormt met verstrengelde vingers een kom voor haar schaambeen. Hier, kijk hier, en met haast obscene bewegingen wiebelt ze haar platte onderbuik naar voren, naar me toe en weer van me af en weer naar me toe, een obsceniteit in volslagen tegenspraak met de ingetogen ernst van haar blik.

Kijk maar, hier wordt de ademstroom gesteund om druk weg te nemen van de stembanden, om klank geboren te kunnen laten worden –, en met verrassende sierlijkheid, haar lichaam in rust en overgave, ontstrengelen haar vingers zich, de handen maken zich los uit de kom voor haar schaambeen, bewegen voor haar lichaam als in een dans omhoog, en terwijl ze omhooggaan, keert ze de handpalmen naar binnen en laat haar handen knikken op de polsen –, zo, zo moet adem stromen, ziet u, van beneden naar boven. En voortgaand, met eenzelfde sierlijkheid, bewegen haar handen over de schouders heen en dan achter langs haar hoofd omhoog en tonen me zo de ademstroom die opwelt door haar lichaam tot in de klankkast van het achterhoofd.

Een ogenblik blijft ze zo staan, dan loopt ze terug naar haar stoel, gaat zitten en staat weer op. *Greek*. Ik zing een aria uit de opera *Greek*. De enige aria in die opera. Van Mark-Anthony Turnage. Ze klakt met haar tong alsof ze iets lekkers ziet op de keukentafel, mm, neuriet ze, mm, mm, en ik voel dat mijn wenkbrauwen vragend fronsen – is dat, is dat? en zoekend naar woorden die ik heb opgevangen, steeds weer repeterende, betoverende woorden en betoverende klanken als om de luisteraar in trance te brengen: *like a river?* probeer ik voorzichtig, *flowing into me like a river...* dat wat je, wat je zo vaak zong, de laatste weken? En verraad zo ons onuitgesproken maar gedeelde geheim.

Als antwoord sluit ze haar ogen, trekt haar schouders naar achteren, haar voeten zoeken opnieuw houvast op de keukenvloer, ik zie hoe ze in zichzelf keert en met de armen lang langs haar lichaam zingzegt ze:

flowing and flowing, mm mm ah ah ah
I love your body, love your fingers, love your fingers round and round and round,
love your body, flowing into me like a river
like a flowing river, love your fingers, love your fingers, round and round and round
love your body, love your body

Abrupt stopt ze met zingen, kijkt me ontsteld aan, schudt haar hoofd en staart naar de grond. Atonaal, mompelt ze, heel modern. Met een ruk kijkt ze weer op – dat ligt me nu eenmaal goed, ik ben een lomperd, een lomperik, ik denk ook nóóit ergens aan.

Nee, bezweer ik haar, nee nee, een lomperik, jij! Geloof me, ik vind het juist zo mooi.

Ze lijkt nog een kind, lang en mager in dat vaalgewassen T-shirt en met die lange rechte benen, een kind ondanks de puntige borstjes met tepels die door de stof willen prikken. Maar wanneer ze zingt, klinkt haar stem volwassen en vrouwelijk en verrassend door de sensuele klank die voor mijn ogen kleurschakeringen doet ontstaan van herfstig gloeiend brons.

Zij weet natuurlijk best dat ik wel eens, zodra ik haar hoor zingen, naar boven loop, niet helemaal – alhoewel een enkele keer... – nee, meestal niet tot vlak onder haar zolderkamer, maar een verdieping lager. Daar is mijn slaapkamer, daarnaast de badcel, die we delen, net als de keuken. Ik doe of ik ga rusten, en dat weet ze want waarom laat ze anders haar kamerdeur wijd openstaan? Ze sluit die bij het slapengaan 's avonds en ook wanneer haar vriendje er is. Sedert kort is dat een jongen met een vioolkist op zijn rug, altijd in eenzelfde blauw-witgestreept overhemd, blakend van gezondheid, een jongen van wie ik niet anders kan denken dan dat hij op zijn moeder lijkt en vast en zeker van haar dat verwende dikke, donker golvende haar heeft en die aan weelde gewende kelige lach.

Wanneer ik haar hoor studeren en mij niet beheersen kan, doe ik of ik ga rusten en om het toneelstuk compleet te maken, trek ik in mijn slaapkamer hardhandig de gordijnen dicht en breng haar zo op de hoogte van mijn voornemen. Zij speelt het spel mee, ons onuitgesproken geheim. Met gesloten ogen, liggend op mijn bed, adem ik de toonladders in die de trap af wervelen en bij mij komen zingen – door mijn deur die ook ik heb laten openstaan – stijgende en dalende toonladders, in majeur, in mineur, toonladders in kwinten, in kwarten, in tertsen. Ze komen mij geruststellen. Hun logische opbouw komt mij kalmeren. Het leven wordt ineens overzichtelijk. Zo is het, denk ik uitgestrekt op mijn bed, zo is het. En die gedachte, de onomkeerbaarheid van de gegevens van het leven, maken dat ik voor even de mijne aanvaard omdat er niets anders op zit dan ze te aanvaarden – een tijdelijke aanvaarding, die werkt als een drug.

Terwijl ik daaraan moet denken overvalt ze me met een vraag. Of ze voor ons zal koken vanavond, ze kan spaghetti maken.

Ik heb haar vraag gehoord maar het duurt even voor de betekenis ervan tot me doordringt.

Spaghetti, heus, daar ben ik hartstikke handig in en ik wil het goedmaken van daarnet.

Jij hebt niets goed te maken, Paula – ik weet niet hoe ik haar moet zeggen wat ik voel – jij hebt helemaal helemaal niets goed te maken. Niets.

Echt niet?

Kon ik haar maar in mijn armen nemen, haar wangen strelen, wiegen wil ik dit kind naar wie ik moet opkijken, mijn hoofd achterover en op mijn tenen bijna, dit lange dunne kind, maar ik verstrak en het moment is al voorbij waarop ik het verhaal van het bruidspaar in haar oor had kunnen fluisteren terwijl ik haar zachtjes wieg – het verhaal van een leven, en misschien had ik daarmee kunnen voorkomen dat zij verkeerde beslissingen neemt. Wat heeft een mens te beslissen eigenlijk, wat kan een mens voorkomen? Ik sta naar haar te kijken, haar die ik had willen omhelzen en wiegen maar mijn armen zijn zwaar, lijken gevuld met lange, taaie strokleurige vezels en zij gaat zitten, verlegen. Ze gaat zitten en het moment is voorbij.

Ze zegt: ik heb morgen een extra les bij mijn lerares

thuis, ik mag blij zijn dat ze mij wil, ze geeft alleen les aan de heel goeie.

Haar blik keert naar binnen.

Er was geen zweem van opschepperij in wat ze me vertelde. En ook dat ontroert me.

♡

Nog drie dagen.

Onrust jaagt me de straat op, de binnenstad in. Onrust die maakt dat de schemering eindeloos lang op zich laat wachten. Op mijn rusteloze tochten kom ik in wijken waar ik nooit eerder was en door straten en over pleinen die ik niet ken. Zoals ook nu. Een purperen hemel heeft zich hier in de hoogte teruggetrokken, vlak boven de daken hangen in elkaars verlengde twee lome langgerekte wolken – ze zien eruit alsof de hemel ze aan onzichtbare draden heeft neergelaten om ze in de ondergaande zon te laten verkleuren van egaal grijs tot cyclaamrood. Beschaamd hangend aan hun draden tot ook het cyclaamrood vervaagt.

Het asfalt is nog nat en zwart van de regen die vanmiddag viel. Loeiend als losgebroken vee rijden auto's voorbij. Hun achterlichten gloeien op in het drijfnatte donker. Net insecten zijn het, bloedrode insecten die de bumpers al hebben losgelaten, klaar voor de sprong om te gaan zwemmen in het water op het asfalt. Tot mijn ontzetting zie ik zijn kleine meisje midden op de weg, midden tussen het verkeer, mijn god, daar zit ze en ze speelt. Het goudblonde haar hangt voor haar gezichtje terwijl ze speurend om zich heen kijkt, maar hoe kan ze iets zien met dat gordijn van haar voor haar ogen, en merken de bestuurders haar wel op? Links en rechts passeren ze haar in hun glanzende wagens, steeds weer wordt zij even aan mijn zicht onttrokken. Ik zie haar opspringen als een kikkertje maar waar ze neerkomt, weet ik niet en het duurt tergend lange seconden voor ik haar heb teruggevonden in de adempauze die de auto's mij gunnen. Ze zoekt iets, zijn kleine meisje, ze zoekt haar lievelings, dat wist ik immers wel, ze zoekt het rood dat uit de achterlichten is gekropen, op de grond gesprongen en in het natte asfalt rondzwemt; rood glinsterende insecten. Maar was niet roze haar lievelings? Daar heeft ze er één beet, ze klemt het in haar handje, zo knijpt ze het insect dood. Ik moet meer vertrouwen hebben, niet alles loopt verkeerd af, zie maar, zij heeft een geluksengel die over haar waakt want de auto's rijden nu galant en in soepele brede bogen om haar heen.

Door een kier van haar lange blonde haren kijkt ze naar me op. Ik vergis me niet, ze heeft me herkend, ze komt op me toe hollen, ze is al bijna bij me en dolgelukkig hurk ik neer op de stoeprand, spreid mijn armen om haar op te vangen – een spel dat we vaak speelden –, ik zal haar oppakken, haar nooit meer loslaten maar ineens hurkt ze neer en met een gestrekt armpje wijst ze achter zich: ze zijn bij papa, papa is daar, wil jij ook naar papa toe?

Zo ver weg is ze, zo ver, zo klein, zo teer.

Op de stoeprand kom ik tot bezinning, doe een stap terug. Iemand botst tegen me aan. O neem me niet kwalijk, neem me alsjeblieft niet kwalijk, stamel ik.

Ik weet het weer, de schemering kwam en ik ging een eindje lopen. Mijn huis werd te krap om me heen. Zodra ik loop houdt mijn lichaam gelijke tred met de voortdurende onrust in me.

❦

Nog twee dagen.

In het raam van de coupé zie ik hem. Hij zit achter de lange zijde van de tafel in de eetkamer. In het midden. Alleen. Toch zijn zijn vrouw en kinderen er ook, en ik, ik ben er ook, maar alleen hem zie ik achter de tafel. Hij is jarig. Hij is ziek en jarig, de naam van zijn ziekte is nog niet bekend. De hevige pijnaanvallen die hem dag en nacht belagen, gunnen hem een korte rust – nu kan hij de cadeaus uitpakken die nog ongeopend voor hem op tafel liggen.

Met een uitdagende blik kijkt hij naar ons op, onder die blik huist gevaar. Angst. Huist de wil om te leven, bij zijn gezin te blijven. De uitzinnige wil om te leven en bij zijn gezin te blijven.

De tafel is die van hun eigen eetkamer, zoals de lichtblauwe gordijnen achter hem die van hun eigen eetkamer zijn. Ook het uitzicht uit de ramen is bekend en vertrouwd. Toch is het beeld hevig en onrustbarend en ineens vloeit zijn beeltenis over de bekraste kunststoffen kozijnen om het raam, breidt zich uit, zowel rechts van mij als links van mij, vult de hele coupé en ook – ik kijk naar boven en zie aan het gestuukte plafond de stalen kaarsenkroon met gekleurde kaarsen die hij en zijn vrouw een paar jaar geleden kochten. Het beeld is alomvattend, is overal, ik kleef erin vast als een vlieg in een spinnenweb. Mijn zoon is de rechter. Mijn zoon achter de eettafel is de rechter in toga die het vonnis zal gaan uitspreken. Over zichzelf. Over ons. Maar hij spreekt het vonnis niet uit, hij maakt een grap, hij zegt: in elk geval ben ik ouder geworden dan mijn beide grootvaders want die waren nog maar in de twintig toen de Duitsers ze vermoordden. En hij lacht, lacht zijn onweerstaanbare lach, de lach buitelt tussen zijn sterke witte tanden door naar buiten – even maar, dan buigt hij zich over de pakjes voor hem op het tafelblad en zijn nog krachtige vingers banen zich een weg onder de vouwen van het pakpapier door, scheuren scheuren...

scheuren met razend lawaai door de tijd naar een stilte; hij is herstellende van een operatie, de tumor is verwijderd, een nieuwe groeit al, woekert in zijn lichaam en alleen híj die het weet, alleen hij die de betekenis ervan in morsetekens van pijn krijgt doorgeseind. Hij staat bij de tafel in de eetkamer, de alwetende, waar hij in een andere tijd en in een andere dimensie van angst, maar een waarin hoop nog wel aanwezig is, het pakpapier openscheurt van zijn verjaarscadeaus.

Hij heeft voor ons gedekt, hij heeft zelf verse broodjes gekocht om ons te verwennen, ons te fêteren – een schaal verse broodjes bestoven met een dun laagje meel.

Over zijn gezicht speelt een weemoedige glimlach. Als eerste van ons heeft hij toegang gekregen tot die glimlach – de glimlach van de dood, uit de voorraadkasten van de dood – hij die de kast wenst te vinden, hij die de kast opent, zal er gratis een glimlach uitnemen en zich daarin kleden. Deze glimlach geeft enige bescherming tegen de omgeving. Tegen onbeantwoordbare vragen. Het maakt de drager ervan, zij het in lichte mate, onaanraakbaar.

Mijn zoon legt vorken naast borden, dan messen, rangschikt en herschikt de kazen op het kaasplateau. Hij staat met zijn rug naar het raam gekeerd, het raam met de lichtblauwe gordijnen. Hoewel zijn vrouw en kinderen aanwezig zijn, zie ik niemand dan hem.

En op zijn gezicht die glimlach.

Nog wat later, verder in de toekomst die ook al door het verleden is opgeslokt, zal de glimlach niet meer voldoen. Hij werd te klein. Kromp. Werd genoodzaakt te krimpen door het vermageren van het gezicht. De glimlach werd verjaagd van de ingevallen wangen en trok zich terug op zijn allerlaatste post: de lippen. Werd zelfs voor lippen te krap, die wanhopige, die moedige glimlach om de over het gebit opeengeklemde lippen.

Nog zesendertig uur.

IJsberen door de woonkamer. Van het raam aan de straatkant naar de openslaande deuren van het balkon, en weer terug en weer heen. Ik zie mezelf lopen. Langs de piano waarop ik zijn foto's heb neergezet. Langs de lage ronde tafel met de uitgebloeide anemonen. Langs de eettafel naar de tuinkant waar mijn bureau staat. En weer terug. En weer heen. Steeds prikt de verwarde berg condoleances in mijn ooghoek. Kaarten en brieven van collega's, van leerlingen, van verrassend veel leerlingen. Hun woorden deden me goed, maar nog altijd heb ik ze niet beantwoord en er is al bijna een jaar voorbij. Ik zal ze moeten schrijven, zo hoort het, waarom doe ik dat niet? Ik heb alle tijd, ik heb vrij gekregen om te rouwen, betaald verlof, betaald verlof om te rouwen maar ik weet niet wat rouwen is. Is rouwen ijsberen door je kamer? Is het een afstand afleggen in je eigen huis, en in de stad, een afstand die gelijk moet zijn aan de omtrek van de aarde? Want daar ben ik zeker van, sinds de eerste tekenen van de ernst van zijn ziekte heb ik een afstand afgelegd die gelijk is aan de omtrek van de aarde.

IJsberen.

Kleren die wijder vallen. En wijder. En wijder.

Rouwen?

Is dat op de schemering wachten?

Is dat vrienden mijden?

Is dat een hart dragen dat almaar zwaarder wordt en harder?

Ik blijf staan, mijn hoofd tegen het glas van de openslaande deuren. Lekker koud tegen mijn voorhoofd. De winter houdt huis op mijn balkon, moet je die scheef gestapelde bloempotten zien en het stof op de betonnen vloer en daar, tegen de balustrade, de verdorde klimop. Ooit bloeiden hier bloemen in weelderige bloembakken, door mij verzorgd, door mij toegefluisterd.

Ik kan mijn eigen hart zien in mijn lichaam; ook als ik mijn ogen openhoud en naar het balkon kijk, kan ik dwars erdoorheen mijn hart zien in mijn borst, zie ik dat het net een grote steen is, plat en glad en grauw van kleur.

Rouwen, is dat een afstand afleggen die wel gelijk moet zijn aan de omtrek van de aarde? Plotseling wil ik het weten ook. Ik loop terug naar de ramen aan de straatkant. Hardop tel ik mijn voetstappen. Van raam naar raam. Van balkondeuren naar straatzijde.

Het zijn er zeven. Twee keer zeven is heen en weer. Ach, hou op, wat maakt het uit.

Rouwen.

Ik pas niet meer.

Ik pas niet meer in deze wereld.

♡

Nog 24 uur.

De avond valt. Ik zit aan tafel, mijn beide handen om mijn neus en mond. Ik wil niet denken. Adem stroomt uit mijn borst omhoog, vult de kom van mijn handen, keert terug in mijn borst en stijgt weer op. Ik voel de adem komen en gaan in mijn handen, die een kom vormen voor mijn gezicht. Ik wil niet denken maar in mij denkt het toch. Ondanks mijn verlangen naar leegte, naar even niets alsjeblieft, denkt het in me. Denkt aan de kleine jongen, aan het kind van mijn zoon op zijn knieën op de kruk voor mijn piano. Blik gefixeerd op die ene foto. Was het een halfjaar geleden? Of nog langer? Gevoel voor tijd heb ik niet meer, ik haal alles door elkaar, maar de jongen op de kruk zie ik helder, dezelfde kruk die ik aanschoof op dringend verzoek van mijn zoon – opdat ik het vonnis zittend aan zou horen.

Was het de eerste keer na zijn dood?

Gedrieën stonden ze voor mijn deur, het moest er een keer van komen, één keer moest de eerste keer zijn. Vier min één. Zo stonden ze daar – zo keken ze naar me: we zijn maar met ons drieën. Alsof niet ik schuldig ben en het niet mijn beurt was om te sterven.

Voor hen uit ben ik de trappen opgelopen om ze de weg te wijzen in onze veranderde, onbekende wereld. Zonder hem beklommen we de trappen, zonder hem liepen we mijn huiskamer binnen, voor het eerst zaten we zonder hem bijeen en ondergingen sprakeloos zijn afwezigheid.

Waarheid, vertaald in banaliteiten: geen vijf glazen meer voor de thee, maar vier. Geen vijf borden voor de lunch, maar vier. Geen vijf vorken en vijf messen maar vier vorken en vier messen.

Over de gedekte tafel keken we elkaar aan en meden de plek waar hij gewoonlijk zat – een vloeibare stromende leegte in de vorm van zijn lichaam.

Afwezig aanwezig.

Later die middag.

Zijn zoon op z'n knieën op de pianokruk voor de foto's. Ik naast hem. Staande. Ik vertelde hem van de foto's. Achter ons aan tafel, de lipjes naar binnen gezogen van inspanning, tekende zijn kleine zus veelkleurige hartjes en sterren in een gloednieuw schetsboek. Waar mijn schoondochter was, herinner ik me niet, waarschijnlijk rustte ze op mijn bed wat uit van de reis.

Dit was papa toen hij net zo oud was als jij nu bent, heb ik gezegd, wijzend op de foto's, en hier, hier is papa afgestudeerd aan de universiteit. Hij krijgt zijn bul, die rooie koker, zie je wel, daar zit zijn bul in, een mooi stuk papier waarop staat dat papa ingenieur is en die meneer in zwarte toga met om zijn hals een zilveren sjerp is de professor. Eigenlijk vindt papa het bespottelijk, die hele ceremonie, hij hield er niet van maar hij kijkt toch ook tevreden, hij vindt het wel terecht dat hij zijn bul krijgt. En hier zit papa aan het roer van een zeilboot met de wind om zijn kop, zoals hij dat zei, en kijk, papa boven op een rots in de bergen, papa hield van buiten, van echt buiten, van buiten zonder hekken, zonder wandelpaden, zonder bordjes die je de weg wijzen en je vertellen hoeveel kilometer je moet lopen. Hij hield van een buiten waar je nog kunt verdwalen.

De jongen had peinzend en met een te wijze glimlach om zijn lippen naar me geluisterd, maar ineens werd zijn aandacht getrokken door iets anders en zijn blonde vingers peuterden een half verteerd stukje leer achter de kaarsenstandaard tevoorschijn. Misschien omdat ik voorvoelde wat komen ging, was ik om de piano heen gelopen en vanaf de korte kant van het klavier zag ik het kind recht in het gezicht, dat met intense concentratie keek naar het portret in de verteerde leren lijst, opgetild tot vlak voor zijn ogen alsof hij het anders niet kon lezen. Een gewoon kiekje was het, maar wonderlijk genoeg had juist dit kiekje voor mij de waarde van een geschilderd portret waar weken en weken van poseren aan vooraf was gegaan en waarin de schilder zijn model had leren kennen en begrijpen. Deze foto toonde de complexiteit van zachtheid en spot die mijn zoon zo eigen was, evenals zijn ernst en humor én de afstandelijke dichtbijheid waarmee hij de wereld in kon kijken. De foto in de oude leren lijst was zo expliciet, zo waarachtig mijn zoon, dat ik haar wel achter de kandelaar had moeten wegschuiven.

Het was stil geworden in de kamer, geluid van buiten, van achter de ramen had met ons niets meer te maken.

Ze deden maar, daar buiten. De ogen van de jongen verwijdden zich, de blauwgrijze irissen werden omringd door oogwit. Aan dit doodstil zittende kind bewoog niets dan het steeds verder opensperren van de ogen voor een onvermijdelijke ontmoeting met zijn vader die, losgekomen van de foto, uit de leren lijst was gestapt en het kind aanraakte, bij het kind binnendrong, en in de wijd open ogen weerspiegelde ontzetting en liefde, onbewust van tranen die opwelden, druppels vormden en achter elkaar aan over de rand van het ooglid wipten, over kinderwangen gleden tot de jongen de foto neerlegde en de betovering verbrak, en dan is het voorbij, de datum gepasseerd, de trein vertrokken,

het is ochtend, de ochtend na zijn eerste sterfdag, de sterfdag van mijn zoon,

een jaar is voorbijgegaan, het is nacht geworden, het is ochtend geworden, het is gewoon weer ochtend geworden, het leven gaat door,

in mijn verbleekte badjas en met losgewoeld grijzend haar sta ik in de kamer en kijk rond om de schade op te nemen die er niet is en in mijn hoofd weergalmt het woord 'veldslag',

er heeft een veldslag plaatsgevonden, weergalmt het in mijn hoofd,

maar alles staat gewoon op zijn plek, zoals mijn bureau met de lesboeken en de berg nog te beantwoorden condoleances,

en op de piano de foto's zoals ik ze daar heb neergezet, zelfs het kiekje in de leren lijst, daarnaast de kandelaar bespat met tranen van kaarsvet,

en de vaas, en in de vaas een witte roos, gisteren gekocht, een smetteloos witte roos;

teder groenig licht gloort door de bloembladen,

langs de lange stengel rode doornen in gelid,

ook de ramen in de balkondeuren zijn onbeschadigd, geen barstje zit erin, het laminaat glimt, stoelen staan om de tafel zoals het hoort en daar is de bank waarop ik lag tot diep in de nacht – de bank vertoont evenmin tekenen van geweld,

een veldslag,

ik loop naar de balkondeuren, laat mijn voorhoofd rusten tegen het glas, buiten bloeit de hazelaar al met zachtgele trosjes die bewegen in de schrale wind,

het dichtslaan van de deur beneden, Paula's vliegensvlugge voetstappen over de trappen naar boven, ze is al vroeg de deur uit geweest, hoewel, misschien komt ze nu pas thuis, is ze bij haar vriendje blijven slapen,

met mijn vingers om mijn mond geklemd, luister ik naar het dichterbij komen van haar voetstappen achter me, hoor haar voetstappen over de gang gaan naar de keuken, het piepen van de keukendeur, haar stem, maar gedempt, omfloerst, zacht: ik ga koffie zetten Hanna, voor ons tweetjes, ik heb iets lekkers gehaald bij de bakker, wat dat is, is nog een verrassing

ze wil me verrassen,

ze zei nooit eerder 'Hanna',

gestommel in de keuken, het openen en sluiten van kastdeuren, dan het stromen van water,

ik sluit mijn ogen, Paula wil me verrassen, ze komt niet binnen, ze zal wachten tot ik bij haar... tot ik zover ben dat ik

ze komt heus niet binnen en wat dan nog als ze me zo ziet, wat dan nog, de tijd verspringt, de tijd tilt me op, tilt me voorbij mijn ziekteverlof, tilt me over de voorjaarsvakantie heen en zet me keurig aangekleed en met gekamde haren neer op de gang voor de docentenkamer, voor de gulzig geopende deur van de docentenkamer,

daar zal ik zo binnengaan, die kamer vol lachende monden, druk bewegende tongen, rondspattend speeksel, aandacht opeisende vakantieverhalen en met als middelpunt Marella, de kamer met de scherp prikkelende en tegelijkertijd muffe geur van warme lijven, de geur van goedkope koffie en verlammende vanzelfsprekendheid,

de tijd van wachten op de schemering is voorbij,

ik ben weer aan het werk, het leven gaat door, het leven gaat door en laat mij achter en toch ga ook ik door en laat ik mijzelf achter,

ik sta voor de docentenkamer en denk terug aan die morgen, een jaar na zijn dood,

kijk naar mezelf vanuit een nabije toekomst die werkelijker aanvoelt en vreemd genoeg tastbaarder lijkt dan de Hanna hier in haar badjas – geen mooie heldere tranen in haar ogen maar haar handen om haar mond om geen geluid te maken en wat dan nog als Paula haar zo ziet? als ze haar hoort?

geluid dat niet eens uit Hanna's mond komt maar uit haar buik, geluid als van een gewond dier dat kreunt en kermt,

de Hanna voor het balkonraam is al herinnering geworden,

de eerste sterfdag is al herinnering,

meedogenloos neemt de tijd alles met zich mee in

zijn onstuitbare achterwaartse gang, neemt de gestorvene mee als zijn vanzelfsprekend eigendom,

steeds verder, steeds verder, en

over de toekomstige tijd heen kijk ik terug naar mezelf

die al een herinnering is, die weldra herinnering zal zijn; vrouw in badjas, voorhoofd tegen het balkonraam, koelte opzuigend uit het raam, hand om haar mond,

en terwijl ik de docentenkamer binnenga en vandaar doorloop naar mijn eigen klas – ik, Hanna – een glimlach op mijn gezicht als verweer tegen de onherroepelijke vragen 'of het weer een beetje gaat'

– ja, zal ik zeggen –,

– goed, zal ik zeggen, dankjewel –,

weet ik dat de rouwtijd voorbij is,

weet ik dat het rouwen pas begint,

❦

toen, de uitvaart,

het voeteneinde van zijn kist, een kist van ongeschaafd vurenhout, bedolven onder massa's wilde groenwitte rozen met rode doornen en harde bladeren,

ik kocht ze in een winkel niet ver van het park, op een hoek – ik kocht ze de ochtend van de uitvaart, de uitvaart die al een herinnering is,

geef deze maar, zei ik, wijzend op de rozen in een emmer op de grond, en ik noemde een getal, noemde het aantal jaren dat hij had geleefd,

nee, zei ik tegen de verkoopster, nee de doornen hoeven er niet af,

nee, zei ik tegen haar, deze rozen hoeven niet in een vaas,

laat zo maar, zei ik, laat ze maar zoals ze zijn, met doornen, met alle bladeren, zo is het goed,

de verkoopster keek me aan. o, zei ze, en ze herhaalde: ze hoeven niet in een vaas,

voor de rouwstoet uit loopt met deemoedige pas een uitvaartbegeleider, gekleed in het zwart,

zijn hoed houdt hij in beide handen, laag voor zijn buik,

het hoofd eerbiedig gebogen
waarom dat gebaar zo troostend was,
waarom het zo had moeten blijven, vanaf de dood van mijn zoon zo had moeten blijven,
doordrongen van verdriet om zijn afwezig zijn,
met gebogen hoofd, geluidloos, voor altijd;
en het langzame gaan, het door de straten stapvoets
stapvoets volgen van de lijkwagen
waarin hij ligt

epiloog

februari. drie uur in de middag, het leek nacht.

de vrouw zat op een stoel bij zijn bed, rechts van hem, aan het voeteneinde.

haar zoon lag in het bed, op zijn linkerzij, alleen zo kon hij nog liggen – de moordenaar huisde groot als een vrijwel volgroeide foetus in zijn buik.

(enkele dagen later zou de vrouw in het gezicht van haar zoon slechts de schim zien van wie hij was geweest.)

haar zoon zei: wanneer je over mij schrijft, zeg dan duidelijk dat het jouw perceptie is.

hij ging ervan uit dat zij over hem zou schrijven.

voor hem was dat een gegeven, hij gaf daarmee ook toestemming, hij vertrouwde haar,

maar dat inzicht kwam pas later.

ze zat daar aan zijn bed, en schrijven bestond misschien wel, maar ergens onbereikbaar ver, in een ander universum, niet voor haar.

nee, schudde ze, nee.

hij knikte, ja, of hij zei, ja, met zijn ogen.

zijn jonge vrouw lag naast hem op het bed. dat gaf hem rust,

zo lag ze daar al dagen, al weken naast hem op het bed.

in de kamer ernaast speelden zijn kinderen, je kon hun kleine stemmen horen, ook dat gaf hem rust.

boven zijn hoofd, vastgehecht aan een boekenplank, hing een blauw gekleurd zakje met morfine, een slang in zijn arm verbond zijn bloedsomloop met de inhoud van dat zakje.

wanneer hij pijn voelde, hoefde hij alleen maar op een knop te drukken en de morfinetoestroom werd vergroot.

pijn hoefde hij niet te lijden.

hij keek naar het zakje, toen naar de vrouw aan het voeteneinde van zijn bed.

er is dus eigenlijk niets aan de hand, zei hij.